Tiffany Collins

MODUS VIVENDI

© 2008 Tiffany Collins, pour le texte
© 2008 Robert Rose Inc., pour l'édition originale et pour les photos citées ci-bas
© 2009 Les Publications Modus Vivendi inc., pour l'édition française et pour les autres photos

Les photos situées sur les pages suivantes ont été prises par Colin Erricson et sont la propriété de Robert Rose Inc. : 15, 23, 33, 41, 45, 47, 57, 59, 65, 71, 75, 82, 90, 101, 109, 114, 123, 124, 136, 141, 151, 152, 162, 164, 171 et 175.

Paru sous le titre original de *200 Best Panini Recipes*

LES PUBLICATIONS MODUS VIVENDI INC.
55, rue Jean-Talon Ouest, 2ᵉ étage
Montréal (Québec) H2R 2W8
Canada

www.modusaventure.com

Directeur éditorial et artistique : Marc Alain
Designer graphique : Émilie Houle
Photographe : André Noël
Styliste culinaire : Simon Roberge
Traducteur : Jean-Robert Saucyer
Réviseur : Guy Perreault

ISBN 978-2-89523-613-9

Dépôt légal – Bibliothèque et Archives nationales du Québec, 2009
Dépôt légal – Bibliothèque et Archives Canada, 2009

Nous reconnaissons l'aide financière du gouvernement du Canada par l'entremise du Programme d'aide au développement de l'industrie de l'édition (PADIÉ) pour nos activités d'éditions.

Gouvernement du Québec – Programme de crédit d'impôt pour l'édition de livres – Gestion SODEC

Imprimé en Chine

À la douce mémoire de ma mère, Fay Tacker, qui fut et qui continue d'être de nombreuses manières une source d'inspiration en cuisine. Également à Kennedy, ma chère fille, qui m'apporte tant de joie, d'amour et de bonheur.

Tiffany Collins, auteure

Table des matières

Introduction

Lorsqu'on m'a commandé plus de 100 recettes de paninis, ma réaction initiale en fut une d'enthousiasme, après quoi je me suis demandé s'il existe vraiment 100 manières d'apprêter des paninis.

Mais, tout comme ma mère, je suis passée maître dans l'art de la confection des sandwiches. On m'a souvent dit que je prépare les meilleurs sandwiches qui soient; et je crois que cela est attribuable au fait que je ne m'impose aucune limite quant aux ingrédients qui entrent dans leur composition. Et qu'est-ce qu'un panini, si ce n'est un sandwich grillé et pressé ? En examinant la question sous cet angle, je savais que j'étais capable d'imaginer 100 recettes, voire davantage.

La liste des ingrédients susceptibles d'entrer dans la confection de sandwiches est pratiquement illimitée, de même que les associations de saveurs, qu'elles soient classiques ou inhabituelles. Il est possible de partir de presque n'importe quel sandwich et de le transformer en panini, avec un peu de réaménagement pour éviter que les garnitures ne s'en échappent. Dès que l'on sort du cadre classique de la confection d'un panini, on s'aperçoit qu'il existe un million de possibilités attrayantes.

J'ai regroupé dans cet ouvrage plusieurs de mes sandwiches préférés, notamment le panini à la dinde avec chutney de canneberges et graines de tournesol (page 82), le panini au bœuf et au brie (page 96) et le club-panini aux crevettes (page 57). J'ai actualisé à ma façon quelques recettes de sandwiches classiques telles que le panini à la Monte-Cristo (page 113) et le panini au poulet à la mode du Sud Ouest (page 72). J'ai réinventé des recettes que j'adore de manière à les présenter dans un panini, par exemple le panini au poulet façon César (page 73), le panini au homard et à la fontina (page 59) et le sandwich qui a fait ma renommée, le Tiffany (page 129), qui rassemble mes garnitures à pizza préférées. En outre, j'ai tenté diverses expériences en vue de découvrir de nouveaux mariages de saveurs qui ont surpassé mes propres attentes, par exemple le panini aux sardines et à la tomate balsamique (page 61) et le panini aux petits fruits et au mascarpone garni d'amandes grillées (page 162).

Mais avant de passer aux recettes, parlons d'abord du matériel dont vous aurez besoin et des possibilités au chapitre des ingrédients.

Matériel

Lorsque vient le moment de choisir un grille-panini, quelques possibilités se présentent, chacune comportant ses avantages et ses inconvénients.

Gril électrique antiadhésif

Il s'agit d'un modèle qui comporte deux éléments, soit une poêle à frire qui retient la chaleur et un couvercle lourd doté d'une anse annulaire qui ajoute une pression supplémentaire à ce dernier et qui laisse des traces sur le dessus des sandwiches. Ces grils sont d'ordinaire faits de fonte émaillée de porcelaine et sont proposés en diverses couleurs.

La poêle antiadhésive est aussi utile qu'une poêle tout usage car elle peut passer de la cuisinière au four et peut supporter une chaleur maximale de 260 °C (500 °F). La surface antiadhésive se nettoie facilement, bien qu'il soit conseillé de la laver à la main. Ce modèle permet de faire griller des viandes, des légumes et des fruits, d'autant que son fond côtelé permet de cuire à l'intérieur comme on le ferait à l'extérieur, et laisse des traces sur les biftecks, les côtelettes et les pâtés de viande, sans parler des paninis.

Grille-panini

On trouve les grille-panini électriques dans les hypermarchés, en particulier dans les cuisineries et dans certaines épiceries fines, à des prix qui oscillent entre 35 $ et 130 $, voire davantage. Les marques que l'on trouve dans les boutiques spécialisées sont plus chères encore. J'ai choisi un modèle un peu plus cher doté de caractéristiques supplémentaires qui favorisent différents modes de cuisson et qui permettent de cuire davantage de mets. Les grille-panini servent à faire griller des sandwiches et certains modèles permettent, entre autres, de faire griller de la viande, des légumes et des fruits.

Mise en garde : La surface extérieure de la plupart des grille-panini est très chaude. J'emploie toujours une poignée ou une manicle au moment d'ouvrir et de fermer le couvercle.

Plaque chauffante

La surface d'une plaque chauffante permet de faire griller plusieurs sandwiches à la fois. Toutefois, si vous vous servez d'une plaque chauffante, vous aurez besoin de quelque chose pour presser le sandwich et en faire un véritable panini. Je me sers d'une brique enveloppée de papier d'aluminium ou de la poêle en fonte de ma grand-mère dont j'ai eu la chance d'hériter. L'inconvénient de cette méthode tient à ce que plusieurs briques ou quelques poêles soient nécessaires; cela peut fonctionner, mais ce n'est pas la solution logique. Par conséquent, une plaque chauffante n'est pas idéale pour faire griller des paninis, même si elle permet d'en faire griller plusieurs à la fois.

Caractéristiques recherchées d'un grille-panini

- Nombre de grille-panini ont un aspect rétro avec leur boîtier en inox. Ils ont fière allure sur le comptoir de la cuisine.

  Selon le précepte que j'ai fait mien, si un appareil est rangé dans sa boîte, on n'en fera pas usage.

- Une plaque supérieure mobile peut être réglée de manière à être au niveau, plutôt qu'en un angle, lorsque l'appareil est fermé. Cette caractéristique est utile lorsqu'un panini comporte des ingrédients qui risqueraient de s'échapper si le sandwich était pressé selon un angle.

- Des plaques amovibles qu'il est facile de détacher et qui résistent au lave-vaisselle. Certains modèles comportent deux sortes de plaques, soit un gril et une plaque côtelée, qui permettent de choisir entre ces deux types de cuisson. (Mise en garde : Je me suis servie du lave-vaisselle afin de nettoyer les grils et je les ai abîmés. Donc, même si vos grils sont censés supporter le lave-vaisselle, lavez-les à la main pour plus de sûreté.)

- Certains modèles présentent une plus grande surface que d'autres. Toutefois, la plupart des recettes présentées dans cet ouvrage sont fonction de deux sandwiches qui tiendront bien à l'intérieur de la plupart des grille-panini standard.

- Les voyants lumineux, les boutons de réglage de la température, les poignées thermostables et le compartiment où ranger le cordon électrique sont autant de caractéristiques appréciables.

- Un racloir de plastique vous permettra de racler tout le délicieux fromage qui ne manquera pas de fondre sur les plaques. Si votre grille-panini n'est pas assorti d'un tel racloir et est tapissé d'une matière antiadhésive, employez une spatule de plastique ou de bois pour en racler la surface, car un instrument de métal en abîmerait le revêtement.

- Nombre de grils sont conçus de manière que la graisse s'égoutte et ne reste pas en contact avec les aliments, ce qui en fait un mode de cuisson santé. Si vous songez à vous servir de votre grille-panini pour faire, entre autres, cuire de la viande ou des légumes juteux, vous apprécierez qu'il soit doté de cuvettes d'égouttage.

- Un modèle que l'on range à la verticale occupe moins d'espace dans la cuisine.

Les ingrédients

Lorsque vous vous mettrez à confectionner des paninis, vous verrez que cet ouvrage compte beaucoup plus que 100 recettes. Cela, parce que chacune a un nombre illimité de variantes éventuelles. J'ai proposé pour plusieurs certaines déclinaisons, mais je suis convaincue que vous en élaborerez d'autres de votre cru. La préparation de sandwiches se doit d'être facile et amusante, alors tentez toutes les expériences dont vous avez envie et modifiez les ingrédients au gré de votre fantaisie. Bien entendu, les jours où l'imagination n'est pas au rendez-vous, comptez sur moi, car je vous ai préparé 100 versions délectables.

Lorsque vous imaginez vos propres recettes de paninis, souvenez-vous de ceci : un bon sandwich allie plusieurs textures différentes, de la croûte du pain au velouté d'un fromage fondu, de la tendreté d'une viande au croquant des fruits et des légumes.

Les pains

À mon avis, le pain est l'ingrédient le plus important dans la confection d'un panini. Il s'agit en fait du fondement sur lequel repose un sandwich. Et le choix du pain est illimité : vous pouvez employer le pain frais de votre goût. Pour ma part, je me sers de différents pains dont chacun a une personnalité propre.

Quand j'ai préparé mon premier panini, j'ai employé du pain de blé complet du commerce, déjà tranché. Ce genre de pain est très mou, de sorte que si vous abaissez le couvercle du grille-panini, vous vous retrouvez avec un sandwich si mince qu'il vous sera possible de le glisser sous une porte. Pour faire mon deuxième panini, je me suis servi du même pain, sans cependant trop appuyer sur le couvercle du grille-panini. Lorsque j'ai employé cette sorte de pain pour confectionner un panini au beurre de cacahuète, à la confiture et à la banane (page 156) pour ma fille, j'ai tenu la plaque supérieure de sorte qu'elle effleure à peine la tranche de pain, et le résultat fut probant. Je préfère cette méthode au grillage des sandwiches dans une poêle, car il n'est pas nécessaire de tourner le sandwich

Laissez libre cours à votre imagination !

Permettez-moi d'insister : aucune loi n'est gravée dans le marbre lorsqu'il s'agit de confectionner un panini. Je vous invite à marier différents ingrédients, à peaufiner votre technique et, surtout, à vous amuser dans la cuisine !

La ciabatta, ce pain italien avec lequel on confectionne les paninis classiques, a une texture plus dense et plus dure. Les auteurs de recettes nous demandent souvent de tailler la partie supérieure bombée du pain; quant à moi, je vous conseille de faire comme vous l'entendez ou au goût de la personne à qui le sandwich est destiné. La fougasse, une autre sorte de pain à la texture dense, est souvent proposée en de merveilleux parfums qui rehaussent ou complètent les ingrédients du sandwich.

Les pains à sous-marins et les pains mollets (petits pains) peuvent contenir une grande quantité d'ingrédients. Mon panini au bifteck épicé accompagné d'oignons croustillants (page 141) nécessite une grosse bouchée, ce qui n'est pas du tout une vilaine chose !

Si vous employez une pâte plus souple, par exemple des croissants au beurre, prenez garde à la force que vous exercerez sur le couvercle, sinon vous vous retrouverez avec des crêpes! Je n'emploie pas souvent de croissants, mais j'adore les garnir de salami et de fontina (page 125).

Chaque recette précise la sorte de pain à employer, mais cette indication n'est pas coulée dans le béton. Dans presque tous les cas, vous pouvez la remplacer par le pain de votre choix. Tentez différentes expériences afin de découvrir votre association préférée.

Les fromages

À peu près toutes les sortes de fromages peuvent servir à la confection d'un panini : à pâte molle, ferme, semi-ferme, etc. Le fromage peut être tranché, déchiqueté, râpé, émietté ou tartiné selon la variété que vous employez et le degré de fondant que vous désirez. Surveillez toutefois le gril pour éviter que le fromage ne s'échappe complètement de son enveloppe croûtée. Vous pouvez en outre n'employer qu'une seule sorte de fromage ou en marier plusieurs afin de moduler les saveurs.

Les viandes et les poissons

Lorsque vous songez aux viandes dont vous garnirez vos sandwiches, vous pensez probablement aux charcuteries et aux poissons en conserve. Ils sont, bien sûr, tout indiqués en raison de leurs saveurs et de leur commodité. Mais vous pouvez également faire de fabuleux paninis à partir de viandes et de poissons que vous avez grillés vous-même, ou encore de restes de table. Vous trouverez dans ce livre des recettes à base d'une grande variété de viandes, de poissons et des solutions de rechange : bœuf, volaille, porc, viandes de spécialité, poisson, fruits de mer, haricots et tofu.

Les fruits et les légumes

Le croquant du concombre frais, le jus des tomates tardives, le goût sucré de l'oignon rouge, le mordant des piments jalapeños, la texture particulière des germes de luzerne ajoutent tous à la dimension et la saveur des paninis. Vous avez probablement l'habitude de garnir vos sandwiches de tranches de légumes, mais n'oubliez pas les fruits. Des poires mûres et fondantes sont au cœur du panini aux épinards, aux poires, aux noisettes et au feta (page 47) et la pomme vole la vedette dans le bagel à la pomme, au cheddar et au bacon (page 20). Les tranches de fruits servent, entre autres, à confectionner de délicieux paninis à servir au dessert.

Les condiments

Les possibilités sont presque illimitées au chapitre des condiments. La mayonnaise, la moutarde et le ketchup viennent tout de suite à l'esprit, mais faites également l'essai de la confiture, du fromage à la crème parfumé, de la vinaigrette, de la sauce marinara, de la salsa ou du pesto. Par souci de commodité, vous pouvez également vous procurer des tartinades du commerce mais, si vous prévoyez les préparer vous-même, j'ai prévu tout un chapitre sur les condiments qui garnissent à merveille les paninis.

Ici comme ailleurs, tentez différentes expériences avec les condiments; employez-les seuls ou mariez-les afin de découvrir ce qui ravit vos papilles gustatives. Vous pourriez être étonné de ce que vous découvrirez !

Juste ce qu'il faut de calories !

Je m'impose cinq ou six séances d'exercice par semaine et je choisis des aliments sains pour nourrir ma famille. Chaque fois que la chose est possible, j'emploie des aliments à teneur réduite en matières grasses et en calories tels que la mayonnaise et les vinaigrettes faibles en gras, les fromages allégés et les viandes maigres. Je prévois en outre des rations doubles de légumes et, plus particulièrement, ceux qui ont une couleur riche et profonde comme les épinards, les carottes et les betteraves. Je raffole de chacune des recettes réunies dans ce livre et je sais que je peux rehausser chacune d'une manière qui ravira mon palais.

Cela dit, j'estime aussi que chacun doit se faire plaisir de temps en temps et manger avec modération des aliments qui font pencher la balance du mauvais côté, si je puis écrire. Usez de votre jugement au moment de choisir les ingrédients et choisissez les occasions de manière judicieuse.

paninis pour le petit déjeuner et le déjeuner

Panini doré **2 portions**

Voici une jolie gâterie, cela dit sans trop me vanter! J'adore cette recette. Vous en raffolerez aussi si vous aimez le pain doré. Un mélange de fromage à la crème sucré de miel, de confiture de framboises et de pacanes odorantes est pris en sandwich entre deux tranches de baguette qui ont trempé dans des œufs avant d'être grillées à la perfection.

Ingrédients

50 ml	fromage à la crème amolli	¼ tasse
25 ml	pacanes hachées, grillées	2 c. à soupe
5 ml	miel	1 c. à soupe
4	tranches de baguette (1 cm ou ½ po d'épaisseur)	4
125 ml	de conserve ou confiture de framboises	½ tasse
15 ml	de beurre fondu	1 c. à soupe
1	œuf	1
15 ml	lait	1 c. à soupe
soupçon	extrait de vanille	soupçon
5 ml	sucre glace	1 c. à thé
1 ml	cannelle moulue	¼ c. à thé

Faites chauffer le grille-panini à la puissance maximale.

1. Mélangez dans un cul-de-poule le fromage à la crème, les pacanes et le miel. Tartinez uniformément cette préparation sur deux tranches de pain. Tartinez la conserve ou la confiture de framboises sur les deux autres tranches. Posez les tartines les unes sur les autres et appuyez dessus légèrement.

2. À l'aide d'un fouet, mélangez dans un plat peu profond l'œuf, le lait et la vanille. Trempez-y les deux côtés de chaque sandwich et jetez le reste de la préparation aux œufs.

3. Mélangez le sucre glace et la cannelle dans un petit cul-de-poule et réservez.

4. Posez les sandwiches sur le gril, abaissez la plaque supérieure et faites-les dorer pendant 3 à 4 minutes. Saupoudrez chaque panini du mélange de sucre glace et de cannelle. Servez sans tarder.

Conseils : Afin de vous faciliter la tâche, employez des tranches de pain doré surgelées et laissez tomber la pâte aux œufs. La préparation au fromage à la crème fait en soi une délicieuse tartinade.

Variante : J'adore les framboises en conserve, mais vous pouvez les remplacer par un autre parfum que votre famille apprécie.

Panini aux œufs frits et à la saucisse italienne 2 portions

Une savoureuse saucisse italienne conjuguée avec des œufs frits à la perfection, du fromage au poivre et de la ciboulette fraîche, le tout emballé d'une ciabatta fraîche, vous vaudront les éloges de vos invités.

Ingrédients

125 g	chair de saucisse italienne	4 oz
15 ml	beurre	1 c. à soupe
2	œufs	2
pincée	sel	pincée
pincée	poivre noir frais moulu	pincée
2	ciabattas, taillées en deux	2
15 ml	beurre fondu	1 c. à soupe
60 g	fromage au poivre tranché fin	2 oz
25 ml	ciboulette hachée	2 c. à soupe
	salsa	

Faites chauffer le grille-panini à la puissance maximale.

1. Dans une petite poêle antiadhésive, faites sauter à feu moyen-vif la saucisse en rompant la chair à l'aide d'une cuiller de bois jusqu'à ce qu'elle ne soit plus rosée, soit pendant 5 minutes environ. Déposez-la dans une assiette et conservez-la au chaud. Égouttez le gras.

2. Dans la même poêle, faites fondre 15 ml (1 c. à soupe) de beurre à feu moyen. Cassez les œufs dans la poêle et faites-les cuire jusqu'à ce que les blancs figent alors que les jaunes sont encore liquides. Salez et poivrez. Tournez les œufs à l'aide d'une spatule de caoutchouc et faites-les cuire jusqu'à ce que les jaunes figent. Retirez les œufs du feu.

3. Entre-temps, posez les ciabattas sur un plan de travail et badigeonnez la croûte et la mie de beurre fondu. Posez-les sur le gril, abaissez la plaque supérieure et laissez-les dorer pendant 3 à 4 minutes. Retirez les ciabattas du gril et posez leurs parties inférieures dans deux assiettes. Étagez-les de fromage, de saucisse et d'œufs frits. Garnissez de ciboulette hachée et coiffez-les de leur moitié supérieure. Servez sans tarder avec de la salsa.

Conseils : J'adore les mets épicés; lorsque je prépare ce panini à mon intention, j'emploie de la saucisse italienne pimentée. Par contre, lorsque je le prépare pour un groupe d'invités, je me sers de saucisse italienne douce et de fromage moins poivré.

Variantes : Vous pouvez pocher ou brouiller les œufs plutôt que de les frire. Vous pouvez en outre brouiller les œufs en faisant sauter la saucisse pour en rehausser la saveur. Remplacez la ciabatta par des muffins anglais au levain.

Panini pour emporter 2 portions

Quoi de mieux le matin qu'un sandwich que l'on prépare avec facilité et rapidité? Les muffins anglais sont massifs, ils retiennent bien les garnitures et ont un goût savoureux, en particulier lorsqu'ils sont grillés.

Ingrédients

4	tranches de bacon	4
10 ml	beurre	2 c. à thé
2	œufs	2
pincée	sel	pincée
pincée	poivre noir frais moulu	pincée
2	muffins anglais taillés en deux	2
15 ml	beurre fondu	1 c. à soupe
60 g	cheddar en tranches	2 oz

Faites chauffer le grille-panini à la puissance maximale.

1. Déposez les tranches de bacon sur la plaque inférieure au gril, abaissez la plaque supérieure et laissez-les griller jusqu'à ce qu'elles soient croustillantes, soit pendant 1 à 2 minutes. Enlevez-les du gril et réservez. Nettoyez soigneusement les plaques de l'appareil.

2. Faites fondre 10 ml (2 c. à thé) de beurre dans une poêle antiadhésive à feu moyen. Cassez les œufs dans la poêle et faites-les cuire jusqu'à ce que les blancs figent alors que les jaunes sont encore liquides. Salez et poivrez. Tournez les œufs à l'aide d'une spatule de caoutchouc et faites-les cuire jusqu'à ce que les jaunes figent. Retirez les œufs du feu.

3. Posez les muffins sur leur mie sur un plan de travail et badigeonnez la croûte de beurre fondu. Tournez les muffins et posez sur chaque moitié inférieure le bacon, les œufs et le fromage. Coiffez-les de leur moitié supérieure et appuyez doucement dessus afin de les comprimer.

4. Posez les sandwiches sur le gril, abaissez la plaque supérieure et laissez-les dorer pendant 3 à 4 minutes. Servez sans tarder.

Conseil : Afin d'accélérer les choses au petit matin, faites brouiller les œufs la veille et faites-les réchauffer au micro-ondes; en veillant à ne pas trop les cuire.

Variantes : J'apprécie en outre dans ce sandwich les œufs durs en fines tranches. Saupoudrez les œufs de paprika avant de faire griller le sandwich. J'adore la saveur du paprika fumé (pimenton) !

Panini croque-cacahuètes **2 portions**

Ma copine et collègue Jennifer m'a donné cette idée de petit déjeuner qui est rapide et facile à confectionner, plein de protéines et d'énergie, et qui fait la joie des enfants. J'adore le croquant du muesli que l'on trouve dans un éventail de saveurs, à moins que vous n'ayez votre propre recette.

Ingrédients

2	bagels nature, taillés en deux	2
15 ml	beurre fondu	1 c. à soupe
50 ml	beurre de cacahuète	¼ tasse
1	petite banane en purée	1
50 ml	muesli	¼ tasse
25 ml	miel liquide	2 c. à soupe

Faites chauffer le grille-panini à la puissance maximale.

1. Posez les demi-bagels à plat sur un plan de travail et badigeonnez la croûte de beurre fondu. Retournez les demi-bagels et tartinez-les uniformément de beurre de cacahuète et de purée de banane. Saupoudrez de muesli et versez un filet de miel. Posez dessus les autres demi-bagels et appuyez doucement afin de les comprimer.

2. Posez les sandwiches sur le gril, abaissez la plaque supérieure et laissez-les dorer pendant 3 à 4 minutes. Servez sans tarder.

Variantes : Remplacez la banane par des tranches de votre fruit préféré. Remplacez le bagel nature par un aux raisins parfumé à la cannelle, aux canneberges ou encore aux grains complets.

Panini aux œufs à la mode de Denver 2 portions

Cette recette est inspirée de la célèbre omelette à la mode de Denver qui marie jambon, cheddar, poivron vert et oignons sautés.

Ingrédients

10 ml	huile d'olive	2 c. à thé	
125 ml	poivron vert haché	½ tasse	
50 ml	oignon haché	¼ tasse	
125 ml	dés de jambon cuit (60 g ou 2 oz)	½ tasse	
10 ml	beurre	2 c. à thé	
2	œufs battus	2	
pincée	sel	pincée	
pincée	poivre noir frais moulu	pincée	
4	tranches de pain au levain (1 cm ou ½ po d'épaisseur)	4	
15 ml	beurre fondu	1 c. à soupe	
125 ml	cheddar râpé	½ tasse	

Faites chauffer le grille-panini à la puissance maximale.

1. Faites chauffer l'huile dans une poêle antiadhésive à feu moyen-vif. Déposez le poivron vert et l'oignon, et faites-les sauter pendant environ 5 minutes. Ajoutez les dés de jambon et faites-les sauter pendant 3 à 4 minutes de sorte qu'ils soient chauds. Déposez-les dans une assiette et gardez-les au chaud.

2. Dans la même poêle, faites fondre 10 ml (2 c. à thé) de beurre à feu moyen. Ajoutez les œufs, le sel et le poivre; faites brouiller les œufs jusqu'à obtention de la consistance voulue. Retirez du feu et ajoutez en remuant la préparation au jambon.

3. Badigeonnez de beurre fondu un côté de chaque tranche de pain. Posez chaque tranche du côté beurré sur un plan de travail. Répartissez la préparation aux œufs entre deux tranches et garnissez-les de cheddar râpé. Posez dessus les deux autres tranches et appuyez doucement de manière à les comprimer.

4. Posez les sandwiches sur le gril, abaissez la plaque supérieure et laissez-les dorer pendant 3 à 4 minutes. Servez sans tarder.

Conseils : Les œufs auront meilleur goût si vous les faites brouiller dans la poêle qui a servi à faire sauter les légumes et le jambon. Afin d'ajouter de la couleur à ce plat, employez un poivron rouge ou jaune, ou encore les deux.

Bagels à la pomme, au cheddar et au bacon **2 portions**

La bonne odeur de la pomme et du cheddar, combinée au croustillant du bacon, le tout grillé à la perfection dans un bagel aux raisins et à la cannelle, feront un excellent point de départ au petit matin.

Ingrédients

15 ml	beurre	1 c. à soupe
1	pomme McIntosh pelée et tranchée	1
5 ml	cassonade	1 c. à thé
2	bagels aux raisins et à la cannelle taillés en deux	2
25 ml	beurre fondu	2 c. à soupe
25 ml	fromage à la crème amolli	2 c. à soupe
60 g	cheddar en tranches	2 oz
2	tranches de bacon croustillant, émiettées	2

Faites chauffer le grille-panini à la puissance maximale.

1. Faites fondre 15 ml (1 c. à soupe) de beurre dans une poêle antiadhésive à feu moyen-vif. Ajoutez la pomme et la cassonade; faites sauter jusqu'à ce que la pomme soit tendre, soit pendant 3 à 4 minutes. Retirez du feu et conservez au chaud.

2. Posez les bagels sur leur mie sur un plan de travail et badigeonnez leur croûte de beurre fondu. Tournez les bagels et tartinez uniformément leurs moitiés inférieures de fromage à la crème. Garnissez de pommes cuites, de cheddar et de bacon. Coiffez-les de leur moitié supérieure et appuyez doucement dessus afin de les comprimer.

3. Posez les sandwiches sur le gril, abaissez la plaque supérieure et faites-les dorer pendant 3 à 4 minutes. Servez sans tarder.

Conseil : Vous pouvez employer d'autres variétés de pommes, notamment la Granny Smith, la golden et la jonathan.

Variante : Remplacez le bagel aux raisins et à la cannelle par votre préféré.

Panini au bacon, à la tomate et au gruyère 2 portions

Vous partirez du bon pied grâce à ce sandwich fait de tomates fraîches garnies de bacon, de gruyère et d'œufs brouillés à la perfection.

Ingrédients

10 ml	beurre	2 c. à thé
2	œufs battus	2
pincée	sel	pincée
pincée	poivre noir frais moulu	pincée
4	tranches de pain de blé complet (1 cm ou ½ po d'épaisseur)	4
15 ml	beurre fondu	1 c. à soupe
60 g	gruyère en fines tranches	2 oz
4	tranches de bacon croustillant	4
4	fines tranches de tomate	4

Faites chauffer le grille-panini à la puissance maximale.

1. Faites fondre 10 ml (2 c. à thé) de beurre dans une poêle antiadhésive à feu moyen. Ajoutez les œufs, le sel et le poivre; faites brouiller les œufs jusqu'à obtention de la consistance voulue. Retirez du feu.

2. Badigeonnez de beurre fondu un côté de chaque tranche de pain. Posez-les du côté beurré sur un plan de travail. Répartissez les œufs également entre deux tranches de pain et garnissez-les de gruyère, de bacon et de tomate. Coiffez chaque tranche d'une autre et appuyez doucement dessus afin de les comprimer.

3. Posez les sandwiches sur le gril, abaissez la plaque supérieure et faites-les dorer pendant 3 à 4 minutes. Servez sans tarder.

Conseils : Voici le panini idéal à manger en déplacement. Alors, emballez-le et filez vite ! J'emploie ici des œufs liquides en raison de leur commodité.

Panini à la bénédictine 2 portions

Les œufs à la bénédictine sont l'un de mes petits déjeuners favoris. J'emploie des ingrédients de première fraîcheur et je confectionne moi-même la sauce hollandaise.

Ingrédients

4	tranches de bacon tranchées fin	4
2	muffins anglais au levain, taillés en deux	2
15 ml	beurre fondu	1 c. à soupe
2	œufs pochés	2
	(reportez-vous au conseil ci-dessous)	
4	pointes d'asperges blanchies	4
	(reportez-vous au conseil ci-dessous)	
	sauce hollandaise	
	(reportez-vous à la page 180 pour la recette)	
soupçon	paprika	soupçon

Faites chauffer le grille-panini à la puissance maximale.

1. Disposez le bacon sur la plaque inférieure du gril, abaissez la plaque supérieure et faites cuire jusqu'à ce qu'il soit croustillant, soit pendant 1 à 2 minutes. Enlevez le bacon et mettez-le de côté. Nettoyez soigneusement les plaques de l'appareil.

2. Posez les muffins sur un plan de travail et badigeonnez la mie et la croûte de beurre fondu. Posez-les sur le gril, abaissez la plaque supérieure et faites-les dorer pendant 3 à 4 minutes. Retirez les muffins du gril et disposez leur partie inférieure dans deux assiettes. Étagez chaque demi-muffin de bacon, d'un œuf poché et d'asperges. Nappez-les de sauce hollandaise et saupoudrez-les de paprika. Coiffez chacun de l'autre demi-muffin et servez sans tarder.

Conseils : Pour faire pocher les œufs, versez 7,5 cm (3 po) d'eau dans une grande casserole. Amenez l'eau à ébullition et réduisez ensuite le feu pour faire mijoter. Ajoutez 2 ml (½ c. à thé) de vinaigre blanc. Cassez les œufs un à la fois dans un cul-de-poule et faites-les passer délicatement dans l'eau, le plus près possible de la surface. Laissez-les mijoter pendant 3 à 5 minutes ou selon le degré de cuisson voulu. Repêchez-les à l'aide d'une cuiller à rainures.

Faites blanchir les asperges en les plongeant dans de l'eau bouillante salée jusqu'à ce qu'elles deviennent d'un vert vif, soit pendant environ 30 secondes. Sortez-les de l'eau à l'aide d'une cuiller à rainures ou d'une passoire et plongez-les dans un bac d'eau glacée afin d'arrêter la cuisson. Égouttez-les.

Servez avec des fruits de saison ou, lors d'une occasion particulière, avec des mimosas faits de jus d'orange frais.

Variante : J'adore l'élégance et la saveur des asperges fraîches mais, si vous ne les appréciez pas autant que moi, remplacez-les par des épinards frais que vous aurez fait sauter.

Quesadilla au saumon fumé 1 ou 2 portions

La saveur de l'aneth frais rehausse pleinement le goût du saumon fumé, de l'oignon rouge, du fromage à la crème et du provolone râpé. Présentez cette création matinale dans une tortilla et faites-la griller pour faire un petit déjeuner de première classe.

Ingrédients

2	tortillas de farine de 20 cm (8 po)	2
	aérosol de cuisson	
15 ml	fromage à la crème amolli	1 c. à soupe
60 g	saumon fumé en fines tranches	2 oz
125 ml	provolone râpé	½ tasse
15 ml	oignon rouge haché fin	1 c. à soupe
5 ml	aneth frais ciselé	1 c. à thé

Faites chauffer le grille-panini à la puissance maximale.

1. Enduisez d'aérosol de cuisson un côté de chaque tortilla. Posez une tortilla du côté huilé sur un plan de travail. Tartinez-la de fromage à la crème et étagez le saumon fumé, le provolone, l'oignon rouge et l'aneth. Coiffez-les d'une autre tortilla dont le côté huilé est à l'extérieur, et appuyez doucement dessus afin de les comprimer.

2. Posez la quesadilla sur le gril, abaissez la plaque supérieure et faites-les dorer pendant 3 à 4 minutes. Taillez en deux et servez sans tarder.

Conseil : Je vous conseille d'employer de l'aneth frais mais, à défaut d'en avoir, 2 ml (½ c. à thé) d'aneth séché feront l'affaire.

Variante : Faites l'essai de fromage à la crème au parfum de ciboulette.

Panini garni de saumon fumé, d'oignon rouge, de fromage à la crème et de câpres 2 portions

Les ingrédients proposés abondent de saveurs fraîches qui se marient à merveille au goût du saumon fumé : de l'oignon rouge craquant couplé à de l'onctueux fromage à la crème, accentués de ciboulette et de câpres. Il s'agit de mon panini bagel. Des bagels taillés en deux peuvent remplacer les paninis dans presque toutes les recettes que je vous présente. Faites en sorte que la proportion soit respectée entre les ingrédients et la taille du bagel; vous devrez parfois ajouter quelques garnitures, mais le jeu en vaut la chandelle.

Ingrédients

2	bagels nature, taillés en deux	2
15 ml	huile d'olive	1 c. à soupe
50 ml	fromage à la crème amolli	¼ tasse
175 g	saumon fumé en fines tranches	6 oz
25 ml	oignon rouge haché fin	2 c. à soupe
15 ml	ciboulette fraîche, ciselée	1 c. à soupe
5 ml	câpres égouttées	1 c. à thé

Faites chauffer le grille-panini à la puissance maximale.

1. Posez les bagels sur leur mie sur un plan de travail et badigeonnez leur croûte d'huile. Tournez-les et tartinez-les de fromage à la crème. Étagez les moitiés inférieures de saumon fumé, d'oignon, de ciboulette et de câpres. Coiffez-les de leur moitié supérieure et appuyez doucement dessus afin de les comprimer.

2. Posez les sandwiches sur le gril, abaissez la plaque supérieure et faites-les dorer pendant 3 à 4 minutes. Servez sans tarder.

Variantes : Faites l'essai de fromage à la crème parfumé à l'aneth, à l'oignon ou à l'ail. Ajoutez à la garniture un œuf dur haché. Il existe de nombreuses sortes de bagels, alors laissez aller votre imagination pour trouver l'association que vous préférez.

Bagels au corned-beef **2 portions**

Le corned-beef se marie agréablement à la sauce tomate et au fromage fontina. Le bagel peut être nature ou au parfum de votre choix.

Ingrédients

2	bagels nature taillés en deux	2
15 ml	beurre fondu	1 c. à soupe
125 ml	sauce à pizza ou marinara	½ tasse
60 g	corned-beef en fines tranches	2 oz
125 ml	fontina râpée	½ tasse

Faites chauffer le grille-panini à la puissance maximale.

1. Posez les bagels sur leur mie sur un plan de travail et badigeonnez leur croûte de beurre fondu. Tournez-les et tartinez-les de sauce à pizza. Étagez les moitiés inférieures de corned-beef et de fontina. Coiffez-les de leur moitié supérieure et appuyez doucement dessus afin de les comprimer.

2. Posez les sandwiches sur le gril, abaissez la plaque supérieure et faites-les dorer pendant 3 à 4 minutes. Servez sans tarder.

Conseil : Le corned-beef provient d'ordinaire de la pointe de poitrine de bœuf qui a macéré dans une saumure et des épices; on en trouve au comptoir des charcuteries de la plupart des supermarchés. En Irlande, la tradition veut qu'on en serve le dimanche de Pâques et le jour de la Saint-Patrick.

Variante : La mozzarella remplace ou complète à merveille la fontina.

Panini végétarien **2 portions**

Ce panini frais et craquant, garni de légumes, de hoummos et de fromage à la crème, est apprécié à toute heure du jour et en particulier au petit déjeuner ou en guise de brunch.

Ingrédients

2	bagels nature taillés en deux	2
15 ml	beurre fondu	1 c. à soupe
25 ml	hoummos	2 c. à soupe
25 ml	fromage à la crème amolli	2 c. à soupe
4	tranches fines d'oignon rouge	4
½	poivron vert en fines tranches	½
125 ml	concombre en fines tranches	½ tasse
125 ml	germes de luzerne	½ tasse
pincée	sel	pincée
pincée	poivre noir frais moulu	pincée

Faites chauffer le grille-panini à la puissance maximale.

1. Posez les bagels sur leur mie sur un plan de travail et badigeonnez leur croûte de beurre fondu. Tournez-les et tartinez leur moitié inférieure de hoummos. Tartinez leur moitié supérieure de fromage à la crème. Garnissez les moitiés inférieures d'oignon, de poivron vert, de concombre et de luzerne. Salez et poivrez. Coiffez-les de leur moitié supérieure et appuyez doucement dessus afin de les comprimer.

2. Posez les sandwiches sur le gril, abaissez la plaque supérieure et faites-les dorer pendant 3 à 4 minutes. Servez sans tarder.

Conseil : Le hoummos peut faire une garniture de sandwich ou de pizza, et servir de sauce dans laquelle tremper des crudités. On en trouve tout un éventail de saveurs; vous n'avez qu'à choisir le parfum que vous préférez.

Variante : Remplacez les légumes proposés dans cette recette par ceux de votre choix. Faites l'essai du fromage à la crème parfumé à l'ail, aux poivrons grillés ou aux fines herbes.

végétariens

paninis végétariens

Panini au hoummos, aux légumes et à la roquette 2 portions

Le hoummos trouve sa place dans presque toutes les recettes de panini, en particulier lorsqu'on le marie avec du concombre, de la roquette et du poivron. Quelle étonnante association de saveurs !

Ingrédients

6	fines tranches de concombre	6
125 ml	roquette	½ tasse
50 ml	poivron en fines tranches	¼ tasse
15 ml	parmesan frais râpé	1 c. à soupe
25 ml	vinaigrette simplissime	2 c. à soupe
	(reportez-vous à la page 172 pour la recette)	
2	pains italiens tranchés en deux	2
15 ml	huile d'olive	1 c. à soupe
50 ml	hoummos	¼ tasse
1	petit avocat en fines tranches	1
25 ml	tomates confites au soleil, égouttées et en fines tranches	2 c. à soupe
pincée	sel	pincée
pincée	poivre noir frais moulu	pincée

Faites chauffer le grille-panini à la puissance maximale.

1. Dans un saladier, touillez le concombre, la roquette, le poivron, le parmesan et la vinaigrette.

2. Posez les pains sur leur mie sur un plan de travail et badigeonnez leur croûte d'huile d'olive. Tournez-les et tartinez de hoummos la mie des moitiés inférieures. Garnissez-les de la préparation à base de concombre, d'avocat et de tomate. Salez et poivrez. Coiffez-les de leur moitié supérieure et appuyez doucement dessus afin de les comprimer.

3. Posez les sandwiches sur le gril, abaissez la plaque supérieure et faites-les dorer pendant 3 à 4 minutes. Servez sans tarder.

Conseils : La roquette est une plante méditerranéenne dont les feuilles semblables à celles du radis ont un goût de poivre et de moutarde. On en trouve dans les épiceries fines et dans certains supermarchés. J'ai employé un poivron rouge pour cette recette, mais un poivron d'une autre couleur fera l'affaire. C'est que les poivrons rouges, lorsqu'ils sont bien mûrs, ont un goût plus sucré que les autres. Le hoummos est une purée de pois chiches cuits à laquelle on ajoute du tahini, du jus de citron et de l'ail. En général, on y trempe le pain pita.

Panini au brie et à la fontina accompagné de gelée de jalapeños 2 portions

Cette recette fait appel à deux de mes fromages préférés, à savoir le brie et la fontina. Le goût aigre-doux de la gelée de jalapeños ajoute du punch au sandwich.

Ingrédients

2	ciabattas	2
15 ml	beurre fondu	1 c. à soupe
50 ml	gelée de jalapeños	¼ tasse
60 g	brie sans croûte, en fines tranches	2 oz
60 g	fontina en fines tranches	2 oz

Faites chauffer le grille-panini à la puissance maximale.

1. Badigeonnez de beurre fondu la mie et la croûte des ciabattas. Posez-les sur leur mie sur un plan de travail.

2. Faites chauffer la gelée de jalapeños pendant 30 secondes au micro-ondes à la puissance maximale. Tartinez-la sur la mie des pains. Garnissez les moitiés inférieures de brie et de fontina. Coiffez-les de leur moitié supérieure et appuyez doucement dessus afin de les comprimer.

3. Posez les sandwiches sur le gril, abaissez la plaque supérieure et faites-les dorer pendant 3 à 4 minutes. Servez sans tarder.

Conseils : Préparez un hors-d'œuvre en retirant la croûte d'une meule de brie. Tartinez de la gelée de jalapeños sur le fromage et servez avec des biscuits salés. Réchauffez un peu la gelée de jalapeños, elle se tartinera plus facilement.

Panini végétarien à la grecque 2 portions

La fraîcheur du concombre, de la tomate et de l'oignon rouge se marie au goût salé des olives kalamáta dans cette recette inspirée de la tradition grecque.

Ingrédients

2	pitas de 18 cm (7 po)	2
15 ml	huile d'olive	1 c. à soupe
50 ml	hoummos	¼ tasse
4 à 6	fines tranches d'oignon rouge	4 à 6
125 ml	dés de concombre épépiné	½ tasse
50 ml	poivrons rouges grillés, tranchés	¼ tasse
50 ml	olives kalamáta égouttées, dénoyautées et taillées en deux	¼ tasse
50 ml	dés de tomate épépinée	¼ tasse
50 ml	feta émiettée	¼ tasse
pincée	poivre noir frais moulu	pincée
pincée	origan séché	pincée

Faites chauffer le grille-panini à la puissance maximale.

1. Badigeonnez d'huile d'olive un côté de chaque pita. Posez-les du côté huilé sur un plan de travail et tartinez du hoummos sur la moitié de chacun en laissant une bordure de 1 cm (½ po) tout autour. Garnissez-les ensuite d'oignon, de concombre, de poivron grillé, d'olive, de tomate et de feta. Saupoudrez de l'origan et du poivre. Repliez les pitas sur la garniture et appuyez doucement dessus afin de les comprimer.

2. Posez les sandwiches sur le gril, abaissez la plaque supérieure et faites-les dorer pendant 3 à 4 minutes. Servez sans tarder.

Conseils : Les olives kalamáta sont conservées dans le vinaigre et la saumure, ce qui leur confère ce goût aigre et prononcé. Elles sont géniales en guise d'amuse-bouche et complètent bien les salades et autres mets.

Panini aux épinards et aux artichauts **2 portions**

Les épinards et les artichauts, qui entrent souvent dans la composition de délicieuses trempettes, se marient ici dans un panini avec la complicité de l'oignon rouge et du parmesan en copeaux. Une ciabatta à la mie bien dense leur fait une assise solide.

Ingrédients

2	ciabattas tranchées en deux	2
15 ml	huile d'olive	1 c. à soupe
50 ml	fromage à la crème amolli	¼ tasse
125 ml	cœurs d'artichauts grossièrement hachés	½ tasse
125 ml	jeunes pousses d'épinards	½ tasse
50 ml	oignon rouge en fines tranches	¼ tasse
25 ml	copeaux de parmesan	2 c. à soupe

Faites chauffer le grille-panini à la puissance maximale.

1. Posez les demi-ciabattas sur leur mie sur un plan de travail et badigeonnez leur croûte d'huile d'olive. Tournez-les et tartinez-en deux de fromage à la crème. Garnissez-les d'artichauts, d'épinards, d'oignon rouge et de copeaux de parmesan. Coiffez-les de leur moitié supérieure et appuyez doucement dessus afin de les comprimer.

2. Posez les sandwiches sur le gril, abaissez la plaque supérieure et faites-les dorer pendant 3 à 4 minutes. Servez sans tarder.

Conseil : Le goût des copeaux de parmesan frais est incomparable mais, pour plus de commodité, vous pouvez employer du parmesan râpé à l'avance.

Panini à la mozzarella 2 portions

Ce panini est délicieux en raison du mariage parfait entre les saveurs.

Ingrédients

4	tranches de pain au levain (1 cm ou ½ po d'épaisseur)	4	
15 ml	beurre fondu	1 c. à soupe	
25 ml	mayonnaise parfumée aux tomates séchées au soleil (reportez-vous à la page 176 pour la recette)	2 c. à soupe	
125 g	mozzarella en fines tranches	4 oz	
50 ml	jeunes pousses d'épinards	¼ tasse	

Faites chauffer le grille-panini à la puissance maximale.

1. Badigeonnez de beurre fondu un côté de chaque tranche de pain. Posez les tranches du côté beurré sur un plan de travail et tartinez-les de mayonnaise. Garnissez les moitiés inférieures de mozzarella et d'épinards. Coiffez-les de leur moitié supérieure et appuyez doucement dessus afin de les comprimer.

2. Posez les sandwiches sur le gril, abaissez la plaque supérieure et faites-les dorer pendant 3 à 4 minutes. Servez sans tarder.

Conseil : Servez ce sandwich avec une soupe aux tomates pour faire un repas complet.

Variante : Afin de confectionner une version faible en matières grasses de ce sandwich, employez de la mayonnaise allégée et du fromage écrémé, et remplacez le beurre par un aérosol de cuisson.

Panini au hoummos, à l'oignon rouge et au gruyère 2 portions

Le gruyère, dont l'arrière-goût est à la fois doux, délicat et sucré, fait un contraste intéressant avec le hoummos et l'oignon rouge.

Ingrédients

2	pitas de 20 cm ou 8 po	2	
15 ml	huile d'olive	1 c. à soupe	
60 g	gruyère en fines tranches	2 oz	
4	tranches d'oignon rouge	4	
125 ml	germes de luzerne	½ tasse	
pincée	sel	pincée	
pincée	poivre noir frais moulu	pincée	

Faites chauffer le grille-panini à la puissance maximale.

1. Badigeonnez d'huile un côté de chaque pita. Posez un pita sur sa face huilée sur le plan de travail et tartinez-le de hoummos. Garnissez de gruyère, d'oignon et de germes de luzerne. Salez et poivrez. Coiffez-le de l'autre pita, le côté huilé à l'extérieur, et appuyez doucement dessus afin de les comprimer.

2. Posez le sandwich sur le gril, abaissez la plaque supérieure et faites-les dorer pendant 3 à 4 minutes. Taillez en pointes et servez sans tarder.

Conseil : Le gruyère entre souvent dans la composition des fondues, des desserts et des quiches parce qu'il fond facilement.

Panini à l'aubergine grillée, à la tomate et au gruyère **2 portions**

L'aubergine et l'oignon, qui amollissent et deviennent sucrés à mesure qu'ils grillent, font sensation lorsqu'ils sont pris en sandwich entre deux tranches de pain italien que l'on garnit de tranches de tomate et de gruyère.

Ingrédients

1	petite aubergine (125 à 175 g ou 4 à 6 oz) en fines tranches	1
1	petit oignon en fines tranches	1
15 ml	huile d'olive	1 c. à soupe
pincée	sel	pincée
pincée	poivre noir frais moulu	pincée
4	tranches de pain italien (1 cm ou ½ po d'épaisseur)	4
15 ml	beurre fondu	1 c. à soupe
25 ml	mayonnaise au basilic (reportez-vous à la page 174 pour la recette)	2 c. à soupe
1	tomate oblongue (Roma) en fines tranches	1
60 g	gruyère en fines tranches	2 oz

Faites chauffer le grille-panini à la puissance maximale.

1. Badigeonnez d'huile d'olive les deux côtés des tranches d'aubergine et d'oignon avant de les saler et de les poivrer. Posez-les sur la plaque inférieure du gril, abaissez la plaque supérieure et laissez-les griller jusqu'à ce que l'aubergine soit tendre et porte les traces du gril, soit pendant 3 à 5 minutes. Retirez-les du gril, séparez les rondelles d'oignon et conservez-les au chaud. Nettoyez soigneusement les plaques de cuisson.

2. Badigeonnez de beurre fondu un côté de chaque tranche de pain. Posez-les du côté beurré sur un plan de travail et tartinez-les de mayonnaise. Garnissez les moitiés inférieures d'aubergine et d'oignon grillés, de tomate et de gruyère. Coiffez-les des autres tranches de pain et appuyez doucement dessus afin de les comprimer.

3. Posez les sandwiches sur le gril, abaissez la plaque supérieure et faites-les dorer pendant 3 à 4 minutes. Servez sans tarder.

Conseils : Choisissez une aubergine dont la peau est lisse et lustrée, exempte de meurtrissures, et dont la queue est d'un beau vert sans taches marron. La peau doit être souple et retrouver vite sa forme après qu'on y exerce une pression, et le fruit doit être lourd par rapport à sa taille.

37

Panini au basilic et au provolone 2 portions

Le provolone est un fromage italien à pâte pressée qui fait très bien à l'intérieur d'un panini.

Ingrédients

2	pains bolillos tranchés en deux	2
15 ml	huile d'olive	1 c. à soupe
10 ml	mayonnaise	2 c. à thé
60 g	provolone en fines tranches	2 oz
50 ml	basilic frais, ciselé	¼ tasse
50 ml	poivron rouge en fines tranches	¼ tasse

Faites chauffer le grille-panini à la puissance maximale.

1. Posez les pains sur leur mie sur un plan de travail et badigeonnez leur croûte d'huile d'olive. Tournez-les et tartinez leur mie de mayonnaise. Garnissez les moitiés inférieures de provolone, de basilic et de poivron rouge. Coiffez-les de leur moitié supérieure et appuyez doucement dessus afin de les comprimer.

2. Posez les sandwiches sur le gril, abaissez la plaque supérieure et faites-les dorer pendant 3 à 4 minutes. Servez sans tarder.

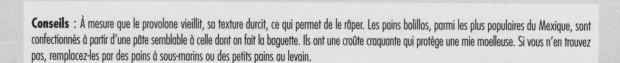

Conseils : À mesure que le provolone vieillit, sa texture durcit, ce qui permet de le râper. Les pains bolillos, parmi les plus populaires du Mexique, sont confectionnés à partir d'une pâte semblable à celle dont on fait la baguette. Ils ont une croûte craquante qui protège une mie moelleuse. Si vous n'en trouvez pas, remplacez-les par des pains à sous-marins ou des petits pains au levain.

Panini aux quatre fromages 2 portions

Si j'étais en rade sur une île déserte, je pourrais survivre en ne mangeant que du fromage. Pour cette recette, j'ai réuni mes préférés; qui fondent tous à merveille.

Ingrédients

4	tranches de pain au levain (2,5 cm ou 1 po d'épaisseur)	4
15 ml	huile d'olive	1 c. à soupe
60 g	mozzarella en fines tranches	2 oz
60 g	cheddar fumé en fines tranches	2 oz
60 g	fontina en fines tranches	2 oz
60 g	provolone en fines tranches	2 oz

Faites chauffer le grille-panini à la puissance maximale.

1. Badigeonnez d'huile un côté de chaque tranche de pain. Posez deux tranches du côté huilé sur un plan de travail et garnissez-les de mozzarella, de cheddar, de fontina et de provolone. Coiffez-les de leur moitié supérieure, le côté huilé à l'extérieur, et appuyez doucement dessus afin de les comprimer.

2. Posez les sandwiches sur le gril, abaissez la plaque supérieure et faites-les dorer pendant 3 à 4 minutes. Servez sans tarder.

Conseils : Si vous n'avez en réserve qu'un ou deux de ces fromages, préparez quand même ce sandwich. Si vous avez les quatre, vous aurez un super-sandwich ! La fontina et le gouda fondent sensiblement de la même manière et peuvent être employés de façon interchangeable. Ici, toutes les sortes de pains font l'affaire. Employez vos préférés !

Panini aux champignons sautés et à la mozzarella 2 portions

Voici un panini à la fois simple et consistant, fait de champignons creminis sautés et de mozzarella crémeuse.

Ingrédients

25 ml	huile d'olive	2 c. à soupe
375 ml	champignons creminis en tranches	1½ tasse
pincée	sel	pincée
pincée	poivre noir frais moulu	pincée
pincée	basilic séché	pincée
2	pains bolillos	2
60 g	mozzarella en fines tranches	2 oz

Faites chauffer le grille-panini à la puissance maximale.

1. Faites chauffer 15 ml (1 c. à soupe) d'huile d'olive dans une poêle antiadhésive à feu moyen vif. Ajoutez les champignons, le sel, le poivre et le basilic; faites-les sauter jusqu'à ce qu'ils soient tendres, soit pendant 7 à 9 minutes. Retirez du feu et conservez au chaud.

2. Posez les pains sur leur mie sur un plan de travail et badigeonnez leur croûte avec l'huile qui reste. Tournez-les et garnissez les moitiés inférieures de préparation aux champignons et de mozzarella. Coiffez-les de leur moitié supérieure et appuyez doucement dessus afin de les comprimer.

3. Posez les sandwiches sur le gril, abaissez la plaque supérieure et faites-les dorer pendant 3 à 4 minutes. Servez sans tarder.

Conseils : Les champignons creminis sont des portobellos qui ne sont pas parvenus à maturité; par conséquent, on dit parfois que ce sont des mini-bellos. Le bolillo, qui compte parmi les pains les plus populaires du Mexique, est fait de pâte de levain semblable à celle dont on fabrique la baguette française. Les petits pains ont une croûte bien craquante et une mie moelleuse. Si vous n'en trouvez pas, remplacez-les par des pains à sous-marins ou des petits pains au levain.

Panini à la mangue, au poivron poblano et au fromage à la crème

2 portions

La fraîcheur de la mangue, couplée au poivron poblano et au fromage à la crème, fait en bouche un fondant à nul autre pareil. Savourez ce sandwich par une chaude journée d'été en sirotant une margarita bien glacée !

Ingrédients

1	petite mangue taillée en cubes	1
1	petit poivron poblano, épépiné, haché	1
15 ml	coriandre fraîche, hachée	1 c. à soupe
10 ml	oignon rouge haché fin	2 c. à thé
15 ml	jus de limette fraîchement pressé	1 c. à soupe
2	tortillas de farine de 20 ou 25 cm (8 ou 10 po)	2
5 ml	beurre fondu	1 c. à thé
50 ml	fromage à la crème amolli	¼ tasse

Faites chauffer le grille-panini à la puissance maximale.

1. Mélangez dans un cul-de-poule les dés de mangue, la coriandre, l'oignon haché et le jus de limette.

2. Badigeonnez de beurre fondu un côté de chaque tortilla. Posez-les du côté beurré sur un plan de travail et tartinez de fromage à la crème la moitié de chaque tortilla, en prévoyant une bordure de 1 cm (½ po) tout autour. Étalez uniformément la préparation à la mangue sur le fromage à la crème. Repliez les tortillas sur la garniture en appuyant doucement afin de les comprimer.

3. Posez les sandwiches sur le gril, abaissez la plaque supérieure et faites-les dorer pendant 3 à 4 minutes. Servez sans tarder.

Conseil : Si vous n'appréciez guère la coriandre, remplacez-la par du persil plat ou n'en ajoutez tout simplement pas.

Variante : Des cubes de papaye peuvent très bien remplacer la mangue dans cette recette.

Panini à l'oignon rouge, à la tomate et à la fontina 2 portions

La moutarde forte et l'aïoli sont les compléments idéaux de l'oignon rouge, de la tomate et de la fontina.

Ingrédients

2	ciabattas tranchées en deux	2	
15 ml	huile d'olive	1 c. à soupe	
15 ml	aïoli du commerce	1 c. à soupe	
	(ou reportez-vous à la page 179 pour la recette)		
15 ml	moutarde forte	1 c. à soupe	
60 g	fontina en fines tranches	2 oz	
4	fines tranches de tomate	4	
4	fines tranches d'oignon rouge	4	
2	poivrons pepperoncinis en fines tranches	2	
125 ml	mesclun	½ tasse	

Faites chauffer le grille-panini à la puissance maximale.

1. Posez les ciabattas sur leur mie sur un plan de travail et badigeonnez leur croûte d'huile d'olive. Tournez-les et tartinez d'aïoli leur moitié inférieure. Étalez la moutarde sur les moitiés supérieures. Garnissez les moitiés inférieures de fontina, de tomate, d'oignon rouge, de poivron et de mesclun. Coiffez-les de leur moitié supérieure et appuyez doucement dessus afin de les comprimer.

2. Posez les sandwichs sur le gril, abaissez la plaque supérieure et faites-les dorer pendant 3 à 4 minutes. Servez sans tarder.

Conseils : La fontina, ce fromage à pâte cuite d'origine italienne, peut avoir différentes textures et saveurs selon son âge. Un mesclun (ou mélange de verdures) peut être composé de roquette, de pissenlit, de laitue frisée, de mizuna, de mâches, de trévise, de feuilles de chêne, d'endives et d'oseille. Ces feuilles se conservent pendant une semaine dans le bac à légumes du réfrigérateur si on les couvre d'une pellicule plastique.

Panini aux portobellos grillés **2 portions**

Les champignons portobellos et l'oignon grillés confèrent à ce panini une texture riche et sucrée. Le gouda fumé complète à merveille les légumes grillés dont la saveur est rehaussée par la roquette poivrée.

Ingrédients

2	champignons portobellos sans tiges ni lamelles	2
½	petit oignon rouge en fines tranches	½
25 ml	huile d'olive	2 c. à soupe
pincée	sel	pincée
pincée	poivre noir frais moulu	pincée
4	tranches de pain au levain (1 cm ou ½ po d'épaisseur)	4
15 ml	pesto au basilic du commerce (ou reportez-vous à la page 183 pour la recette)	1 c. à soupe
15 ml	mayonnaise	1 c. à soupe
60 g	gouda fumé en fines tranches	2 oz
125 ml	roquette	½ tasse
50 ml	tomates confites au soleil égouttées et en fines tranches	¼ tasse
50 ml	poivrons rouges grillés en tranches	¼ tasse

Faites chauffer le grille-panini à la puissance maximale.

1. Badigeonnez les deux côtés des champignons et de l'oignon avec 15 ml (1 c. à soupe) d'huile d'olive avant de les saler et de les poivrer. Déposez-les sur la plaque inférieure du gril, abaissez la plaque supérieure et faites-les griller jusqu'à ce que les champignons soient tendres et qu'ils portent les traces du gril, soit de 3 à 5 minutes. Retirez-les du gril, taillez les chapeaux des champignons en tranches, défaites les rondelles d'oignon et conservez-les au chaud. Nettoyez soigneusement les plaques de l'appareil.

2. Badigeonnez d'huile d'olive un côté de chaque tranche de pain. Posez-les du côté huilé sur un plan de travail et tartinez de pesto deux des tranches. Tartinez de mayonnaise les deux autres tranches. Garnissez le côté pesto de champignons et d'oignon grillés, de gouda, de roquette, de tomate et de poivron grillé. Coiffez-les des tranches garnies de mayonnaise et appuyez doucement dessus afin de les comprimer.

3. Posez les sandwiches sur le gril, abaissez la plaque supérieure et faites-les dorer pendant 3 à 4 minutes. Servez sans tarder.

Conseil : Savourez ce panini avec un vin rouge qui a du corps.

Panini aux épinards, au chèvre et aux tomates confites au soleil 2 portions

L'association entre le chèvre et la ricotta rehaussés d'un mélange d'épices italiennes est idéale dans ce panini.

Ingrédients

50 ml	fromage de chèvre amolli	¼ tasse
50 ml	ricotta	¼ tasse
1 ml	épices italiennes	¼ c. à thé
4	tranches de pain au levain	4
	(1 cm ou ½ po d'épaisseur)	
15 ml	huile d'olive	1 c. à soupe
250 ml	jeunes pousses d'épinards	1 tasse
50 ml	tomates confites au soleil, égouttées, tranchées	¼ tasse
50 ml	copeaux de parmesan	¼ tasse
pincée	poivre noir frais moulu	pincée

Faites chauffer le grille-panini à la puissance maximale.

1. Mélangez dans un cul-de-poule le chèvre, la ricotta et les épices italiennes.

2. Badigeonnez d'huile d'olive un côté de chaque tranche de pain. Posez deux tranches du côté huilé sur un plan de travail et garnissez-les de la préparation. Poivrez. Coiffez-les de leur moitié supérieure, le côté huilé à l'extérieur, et appuyez doucement afin de les comprimer.

3. Posez les sandwiches sur le gril, abaissez la plaque supérieure et faites-les dorer pendant 3 à 4 minutes. Servez sans tarder.

Conseils : Conservez les épinards dans un sac de plastique pendant au plus trois jours au réfrigérateur. Les épinards sont souvent pleins de grains de sable; rincez-les soigneusement avant de les employer. Égouttez bien les tomates confites au soleil afin d'éviter que le pain soit détrempé.

45

Panini aux super-légumes 2 portions

Il arrive que, certains jours, on ait envie de légumes croquants; vous les trouverez dans cette recette. Pendant la chaude saison, goûtez la fraîcheur des légumes estivaux enveloppés d'un panini.

Ingrédients

1	baguette de 15 cm (6 po) taillée en deux dans les deux sens	1
15 ml	huile d'olive	1 c. à soupe
25 ml	mayonnaise	2 c. à soupe
60 g	gruyère en fines tranches	2 oz
8	fines tranches de concombre	8
6	fines tranches de tomate	6
1	petit avocat en fines tranches	1
125 ml	mesclun	½ tasse
25 ml	vinaigrette simplissime (reportez-vous à la page 172 pour la recette)	2 c. à soupe

Faites chauffer le grille-panini à la puissance maximale.

1. Posez les moitiés de baguette sur leur mie sur un plan de travail et badigeonnez leur croûte d'huile d'olive. Tournez-les et tartinez leur mie de mayonnaise. Garnissez les moitiés inférieures de gruyère, de concombre, de tomate, d'avocat et de mesclun. Déposez un filet de vinaigrette. Coiffez-les de leur moitié supérieure et appuyez doucement dessus afin de les comprimer.

2. Posez les sandwiches sur le gril, abaissez la plaque supérieure et faites-les dorer pendant 3 à 4 minutes. Servez sans tarder.

Conseils : J'achète souvent de l'huile d'olive aromatisée. L'huile parfumée à l'ail est l'une de mes préférées car elle confère une saveur étonnante au pain grillé. Vous pouvez en outre employer une vinaigrette du commerce, mais il est facile d'en préparer soi-même. Le mesclun est un mélange de verdures qui comporte d'ordinaire de jeunes pousses de laitue.

Panini garni d'épinards, de poire, de noix et de feta **2 portions**

Cet élégant panini réunit des poires Bosc au goût sucré, de la savoureuse feta et de la sauge nappés d'un filet de vinaigre balsamique.

Ingrédients

4	tranches de pain aux noix (1 cm ou ½ po d'épaisseur)	4
15 ml	beurre fondu	1 c. à soupe
25 ml	fromage à la crème amolli	2 c. à soupe
1	poire Bosc mûre mais ferme, en fines tranches	1
60 g	feta émiettée	2 oz
125 ml	pousses d'épinards	½ tasse
15 ml	sauge fraîche, hachée	1 c. à soupe
15 ml	noix grillées, hachées (reportez-vous au conseil ci-dessous)	1 c. à soupe
15 ml	vinaigre balsamique	1 c. à soupe

Faites chauffer le grille-panini à la puissance maximale.

1. Badigeonnez de beurre fondu un côté de chaque tranche de pain. Posez deux tranches du côté beurré sur un plan de travail et tartinez-les de fromage à la crème. Garnissez-les de tranches de poire, de feta, d'épinards, de sauge et de noix. Versez un filet de vinaigre balsamique. Posez dessus les deux autres tranches de pain dont le côté beurré est à l'extérieur et appuyez doucement dessus afin de les comprimer.

2. Posez les sandwiches sur le gril, abaissez la plaque supérieure et faites-les dorer pendant 3 à 4 minutes. Servez sans tarder.

Conseils : Lorsque je ne parviens pas à trouver un pain aux noix, j'emploie un pain aux canneberges ou aux pistaches, ou encore une challah (le pain de la bénédiction lors des sabbats juifs). Si votre boulanger ne produit aucun de ces pains, employez du pain blanc ou du pain de blé. Afin d'en tirer un maximum de saveur, servez-vous de sauge fraîche plutôt que de sauge séchée. La chaleur permet aux feuilles de sauge de dégager pleinement leurs arômes et leur goût. Faire griller les noix leur confère une saveur plus riche, plus ronde. Pour ce faire, étalez les noix en rang simple sur une plaque à cuisson et passez-les au four à 180 °C (350 °F) jusqu'à ce qu'elles dégagent leur parfum et aient légèrement foncé, soit pendant 5 à 10 minutes. Vous pouvez faire griller les noix plus fines et les graines, par exemple les pignons, les noisettes hachées, les graines de tournesol et les graines de citrouille, dans une poêle à frire à feu moyen-vif. Remuez-les sans cesse à l'aide d'une spatule ou d'une cuiller de bois pour éviter qu'elles ne brûlent.

Panini au fromage des beaux quartiers 2 portions

Voici le fin du fin en matière de sandwich au fromage fondu, qui regorge de cheddar fumé, de brie crémeux, de tomates fraîches et de poivrons aux couleurs vives !

Ingrédients

4	tranches de pain au levain (2,5 cm ou 1 po d'épaisseur)	4
15 ml	huile d'olive	1 c. à soupe
15 ml	moutarde de Dijon	1 c. à soupe
60 g	cheddar fumé en fines tranches	2 oz
60 g	brie sans sa croûte, en fines tranches	2 oz
4	fines tranches de tomate	4
125 ml	jeunes pousses d'épinards	½ tasse
50 ml	poivron rouge en fines tranches	¼ tasse
50 ml	poivron vert en fines tranches	¼ tasse
pincée	sel	pincée
pincée	poivre noir frais moulu	pincée

Faites chauffer le grille-panini à la puissance maximale.

1. Badigeonnez d'huile un côté de chaque tranche de pain. Posez-les du côté huilé sur un plan de travail et tartinez-les de moutarde. Garnissez les moitiés inférieures de cheddar, de brie, de tomate, d'épinards et de poivrons rouge et vert. Salez et poivrez. Coiffez-les de leur moitié supérieure et appuyez doucement dessus afin de les comprimer.

2. Posez les sandwiches sur le gril, abaissez la plaque supérieure et faites-les dorer pendant 3 à 4 minutes. Servez sans tarder.

Variantes : Afin d'apporter une note plus poivrée, remplacez les épinards par de la roquette. Si vous disposez de plusieurs variétés de fromages, remplacez le brie ou le cheddar par de la mozzarella, de la fontina, du gouda ou un fromage américain.

poisson

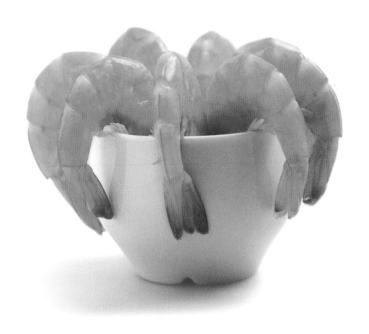

paninis au poisson et aux fruits de mer

Panini au saumon avec garniture aux œufs et tapenade d'olives **2 portions**

Quelle élégante recette que celle-ci qui convient à merveille à un brunch ! Je l'ai servie lors d'un déjeuner qui me valut des commentaires élogieux.

Ingrédients

1	œuf dur, haché	1	
15 ml	ciboulette hachée	1 c. à soupe	
25 ml	crème aigre	2 c. à soupe	
pincée	poivre noir frais moulu	pincée	
2	muffins anglais au levain, taillés en deux	2	
15 ml	beurre fondu	1 c. à soupe	
125 ml	saumon fumé en fines tranches	4 oz	

Garniture

15 ml	crème aigre	1 c. à soupe	
10 ml	tapenade aux olives	2 c. à thé	
	(reportez-vous à la page 187 pour la recette)		
15 ml	ciboulette hachée	1 c. à soupe	

Faites chauffer le grille-panini à la puissance maximale.

1. Mélangez dans un petit cul-de-poule l'œuf, la ciboulette, la crème aigre et le poivre noir. Mettez la préparation de côté.

2. Badigeonnez de beurre fondu la croûte et la mie des muffins anglais. Posez-les sur le gril, abaissez la plaque supérieure et faites-les griller pendant 1 à 2 minutes, jusqu'à ce que la plaque laisse des traces. Retirez les muffins du gril et posez-les sur leur croûte sur un plan de travail. Garnissez les moitiés inférieures de saumon fumé et de préparation aux œufs.

3. Posez les sandwiches dans deux assiettes, garnissez-les d'un nuage de crème aigre et de tapenade, et saupoudrez-les de ciboulette hachée. Servez sans tarder en coiffant les sandwiches des autres moitiés de muffin.

Variantes : Poussez davantage le raffinement en remplaçant la tapenade aux olives par du caviar. Il m'est arrivé de faire cette recette avec des œufs pochés plutôt qu'avec de la garniture aux œufs.

Panini au tilapia noirci **2 portions**

Le tilapia noirci au gril révèle une saveur remarquable mais, si vous préférez, vous pouvez simplement le poêler ou le sauter avec du sel, du poivre et un trait de jus de citron. De toute manière, sa saveur est rehaussée par le goût de la tomate, de la mayonnaise aux piments jalapeños et du provolone fondu.

Ingrédients

5 ml	paprika	1 c. à thé
2 ml	moutarde sèche	½ c. à thé
1 ml	poivre de Cayenne	¼ c. à thé
1 ml	cumin moulu	¼ c. à thé
1 ml	poivre noir frais moulu	¼ c. à thé
1 ml	poudre d'ail	¼ c. à thé
1 ml	thym séché	¼ c. à thé
1 ml	sel	¼ c. à thé
50 ml	beurre fondu	¼ tasse
2	filets de tilapia sans la peau (125 g ou 4 oz chacun)	2
4	tranches de pain italien (1 cm ou ½ po d'épaisseur)	4
15 ml	huile d'olive	1 c. à soupe
50 ml	mayonnaise aux piments jalapeños (reportez-vous à la page 177 pour la recette)	¼ tasse
60 g	provolone en fines tranches	2 oz
1	tomate oblongue (Roma) en fines tranches	1

Faites chauffer le grille-panini à la puissance maximale. Poêle à frire en fonte

1. Faites chauffer la poêle en fonte à feu vif jusqu'à ce qu'elle soit bien chaude, soit pendant 10 minutes environ.

2. Entre-temps, mélangez dans un petit bol le paprika, la moutarde, le poivre de Cayenne, le cumin, le poivre noir, la poudre d'ail, le thym et le sel.

3. Versez le beurre fondu dans un plat peu profond. Trempez le tilapia dans le beurre. Saupoudrez ensuite la préparation aux épices des deux côtés des filets et tapotez-les pour faire adhérer les épices.

4. Posez les filets dans la poêle très chaude et faites couler 5 ml (1 c. à thé) de beurre fondu sur chacun. Faites cuire jusqu'à ce que le poisson semble carbonisé, soit pendant 2 minutes environ. Tournez les filets, déposez à la cuiller 5 ml (1 c. à thé) de beurre fondu sur chacun et prolongez la cuisson jusqu'à ce qu'ils soient carbonisés. Déposez-les dans une assiette.

5. Badigeonnez d'huile d'olive un côté de chaque tranche de pain. Posez-les du côté huilé sur un plan de travail et tartinez-les de mayonnaise. Posez un filet de tilapia sur chaque tranche tartinée et garnissez-les de fromage et de tomate. Coiffez-les des deux autres tranches de pain et appuyez doucement dessus afin de les comprimer.

6. Posez les sandwiches sur le gril, abaissez la plaque supérieure et laissez-les dorer pendant 3 à 4 minutes. Servez sans tarder.

54

Conseils : Servez avec du couscous et du concombre mariné en accompagnement. Au lieu de poêler le tilapia, faites-le griller sur le barbecue.

Panini au thon, au basilic et à la tomate 2 portions

Une darne de thon fait une excellente garniture de panini. J'y ai ajouté du bacon croustillant, bien que cela ne soit pas nécessaire quand on préfère se concentrer sur le goût du thon.

Ingrédients

2	darnes de thon	2
	(150 à 175 g ou 5 à 6 oz chacune, environ 2 cm ou ¾ po d'épaisseur)	
25 ml	huile d'olive	2 c. à soupe
pincée	sel	pincée
pincée	poivre noir frais moulu	pincée
4	tranches de baguette	4
	(1 cm ou ½ po d'épaisseur)	
45 ml	mayonnaise au basilic	3 c. à soupe
	(reportez-vous à la page 174 pour la recette)	
4	feuilles de basilic frais	4
4	fines tranches de tomate	4
4	tranches de bacon croustillant	4
2	feuilles de laitue romaine	2

Faites chauffer le grille-panini à la puissance maximale.

1. Badigeonnez les darnes de thon avec 15 ml (1 c. à soupe) d'huile d'olive avant de les saler et poivrer. Posez-les sur la plaque inférieure du gril, abaissez la plaque supérieure et faites-les griller de manière à en saisir la surface et que l'intérieur soit rosé, soit pendant 3 à 5 minutes. Déposez-les ensuite dans une assiette et conservez-les au chaud. Nettoyez soigneusement les plaques de l'appareil.

2. Badigeonnez d'huile d'olive un côté de chaque tranche de pain. Posez-les sur un plan de travail du côté huilé et tartinez l'autre de mayonnaise. Posez les darnes de thon sur deux tranches de pain et garnissez-les de basilic, de tomate, de bacon et de laitue. Coiffez-les des deux autres tranches de pain et appuyez doucement dessus afin de les comprimer.

3. Posez les sandwiches sur le gril, abaissez la plaque supérieure et laissez-les dorer pendant 3 à 4 minutes. Servez sans tarder.

Conseil : Si vous disposez de peu de temps, employez de la mayonnaise ordinaire plutôt que celle au basilic.

Variante : Vous pourriez également ajouter du fromage; la mozzarella serait tout indiquée.

Le fondant au thon de Carol **2 portions**

Le fondant au thon est un classique que chacun prépare à sa façon; je vous propose ici la recette de ma chère amie Carol. Assurez-vous de régler la plaque supérieure du grille-panini de sorte qu'elle n'effleure que le sandwich, car une trop grande pression exprimerait le jus de la préparation au thon et laisserait le pain détrempé.

Ingrédients

1	boîte de thon conservé dans l'eau égoutté, émietté (170 g ou 6 oz)	1
4	oignons verts en tranches	4
1	tige de céleri hachée fin	1
15 ml	mayonnaise	1 c. à soupe
pincée	sel	pincée
pincée	poivre noir frais moulu	pincée
4	tranches de pain de blé complet (1 cm ou ½ po d'épaisseur)	4
15 ml	beurre fondu	1 c. à soupe
125 ml	gruyère râpé	½ tasse

Faites chauffer le grille-panini à la puissance maximale.

1. Mélangez dans un cul-de-poule le thon, les oignons verts, le céleri, la mayonnaise, le sel et le poivre.

2. Badigeonnez de beurre fondu un côté de chaque tranche de pain. Posez deux tranches du côté beurré sur un plan de travail et garnissez-les de préparation au thon et de fromage. Coiffez-les des deux autres tranches de pain et appuyez doucement dessus afin de les comprimer.

3. Posez les sandwiches sur le gril, abaissez la plaque supérieure de sorte qu'elle touche à peine les sandwiches et laissez-les dorer pendant 3 à 4 minutes. Servez sans tarder.

Conseil : Diminuez le nombre de calories et la quantité de matières grasses en employant de la mayonnaise allégée et en remplaçant le beurre par un aérosol de cuisson.

Variante : Ajoutez des pacanes hachées ou des croustilles émiettées afin de créer une texture et une saveur uniques.

Club-panini aux crevettes **2 portions**

Voici, selon moi, la recette parfaite composée du mélange idéal d'ingrédients. Prévoyez des serviettes de table supplémentaires avant de croquer dans ce sandwich, car vous en aurez besoin !

Ingrédients

1	tomate en fines tranches	1
1 ml	sel	¼ c. à thé
1 ml	poivre noir frais moulu	¼ c. à thé
2	petits pains italiens taillés en deux	2
15 ml	huile d'olive	1 c. à soupe
50 ml	mayonnaise	¼ tasse
250 ml	crevettes moyennes, cuites et taillées en deux sur le sens de la longueur	8 oz
60 g	gruyère en fines tranches	2 oz
4	tranches de bacon croustillant	4
1	gros avocat en tranches	1

Faites chauffer le grille-panini à la puissance maximale.

1. Salez et poivrez les tranches de tomate et réservez.

2. Posez les petits pains sur leur mie sur un plan de travail et badigeonnez leur croûte d'huile d'olive. Tournez-les et tartinez-les de mayonnaise. Garnissez les moitiés inférieures de crevettes, de fromage, de bacon, d'avocat et de tomate. Coiffez-les de leur moitié supérieure et appuyez doucement afin de les comprimer.

3. Posez les sandwiches sur le gril, abaissez la plaque supérieure et laissez-les dorer pendant 3 à 4 minutes. Servez sans tarder.

Conseils : S'il vous reste des crevettes grillées d'une autre recette, voici une bonne manière de les accommoder. Afin d'exprimer la chair d'un avocat, taillez-les en deux sur le sens de la longueur. Exercez une torsion dans les deux sens afin d'ouvrir le fruit; le noyau se trouvera d'un côté. Piquez délicatement le noyau à l'aide d'une lame de couteau bien aiguisée et faites-le jouer afin de le détacher. Retirez la chair de l'avocat à l'aide d'une grande cuiller à potage et faites-en des tranches. La chair de l'avocat s'oxyde rapidement au contact de l'air; il faut donc la mouiller de jus de citron ou de limette pour éviter que cela ne se produise.

Variante : Préparez ce panini avec un pain au levain qui sort du four. Quel régal !

Panini au saumon avec mayonnaise au wasabi **2 portions**

Le wasabi, cette espèce de raifort japonais, ajoute du feu et de la saveur à ce panini au saumon.

Ingrédients

1	gousse d'ail émincée	1
5 ml	gingembre émincé	1 c. à thé
25 ml	sauce soja	2 c. à soupe
15 ml	vinaigre de riz	1 c. à soupe
2	filets de saumon (125 g ou 4 oz chacun)	2
4	tranches de pain au levain	4
	(1 cm ou ½ po d'épaisseur)	
15 ml	huile d'olive	1 c. à soupe
45 ml	mayonnaise au wasabi	3 c. à soupe
	(reportez-vous à la page 178 pour la recette)	
5 ml	graines de sésame	1 c. à thé
5 ml	graines de sésame noires	1 c. à thé
250 ml	jeunes pousses d'épinards	1 tasse
6	tranches de concombre	6

Faites chauffer le grille-panini à la puissance maximale.

1. Mélangez dans un petit cul-de-poule l'ail, le gingembre, la sauce soja et le vinaigre de riz.

2. À l'aide de vos mains, aplatissez délicatement le saumon de sorte qu'il fasse environ 1 cm (½ po) d'épaisseur. Badigeonnez-le de préparation à l'ail. Posez le saumon sur la plaque inférieure du gril, abaissez la plaque supérieure et faites griller jusqu'à ce que la chair du saumon devienne opaque, qu'elle porte les traces du gril et se défasse à l'aide d'une fourchette, soit pendant 3 à 4 minutes. Déposez le saumon dans une assiette et conservez-le au chaud. Nettoyez soigneusement les plaques de l'appareil.

3. Badigeonnez d'huile d'olive un côté de chaque tranche de pain. Posez-les du côté huilé sur un plan de travail et tartinez-les de mayonnaise. Posez les filets de saumon sur deux tranches de pain. Mélangez les différentes graines de sésame et saupoudrez-en uniformément les filets de saumon. Garnissez d'épinards et de concombre. Coiffez-les des deux autres tranches de pain et appuyez doucement dessus afin de les comprimer.

4. Posez les sandwiches sur le gril, abaissez la plaque supérieure et laissez-les dorer pendant 3 à 4 minutes. Taillez-les en deux et servez sans tarder.

Conseils : J'aime bien tremper ce panini dans de la sauce soja. Si vous ne trouvez pas de graines de sésame noires, employez des graines de sésame ordinaires et doublez leur quantité.

Panini au homard et à la fontina 2 portions

Il y a longtemps de cela, j'étais en vacances à Paradise Island aux Bahamas et j'ai dîné dans un petit bistro français où l'on m'a servi le meilleur homard à la Newberg garni de fontina. Le souvenir de ce repas mémorable a inspiré cette recette.

Ingrédients

2	ciabattas taillées en deux	2	
15 ml	beurre fondu	1 c. à soupe	
90 g	fontina en fines tranches	3 oz	
1	queue de homard cuite à la vapeur sans sa carapace et en tranches (175 à 200 g ou 6 à 8 oz)	1	
125 ml	jeunes pousses d'épinards	½ tasse	
125 ml	oignons caramélisés (reportez-vous à la page 184 pour la recette)	½ tasse	

Faites chauffer le grille-panini à la puissance maximale.

1. Posez les ciabattas sur leur mie sur un plan de travail et badigeonnez leur croûte de beurre. Tournez-les et garnissez-les de fromage. Garnissez les moitiés inférieures de homard, d'épinards et d'oignons caramélisés. Coiffez-les de leur moitié supérieure et appuyez doucement dessus afin de les comprimer.

2. Posez les sandwiches sur le gril, abaissez la plaque supérieure et laissez-les dorer pendant 3 à 4 minutes. Servez sans tarder.

Conseil : Ce sandwich est sensationnel arrosé d'un verre de vin blanc bien frais. Vraiment, que pourrait-on demander de plus ?

Variante : Remplacez le homard par des crevettes ou des pétoncles grillés.

Panini au saumon en croquette 2 portions

Mon papa Luther a toujours raffolé de cette recette familiale. Il déposait le reste de saumon entre deux tranches de pain blanc; et il avait son casse-croûte du lendemain midi. J'ai conservé la tradition du pain blanc, mais j'ai employé un pain à la mie dense afin de créer le panini idéal.

Ingrédients

1	boîte de saumon (430 ml ou 15 oz) égoutté sans la peau, en purée	1
1	œuf légèrement fouetté	1
3	oignons verts en fines tranches	3
125 ml	oignon blanc haché fin	½ tasse
1 ml	poivre noir frais moulu	¼ c. à thé
150 ml	biscuits salés émiettés (20 environ)	⅔ tasse
125 ml	huile végétale	½ tasse
2	pains mollets taillés en deux	2
15 ml	beurre fondu	1 c. à soupe
50 ml	rémoulade	¼ tasse
	(reportez-vous à la page 180 pour la recette)	
4	fines tranches de tomate	4
2	fines tranches d'oignon rouge	2
2	feuilles de laitue	2

Faites chauffer le grille-panini à la puissance maximale.

1. Mélangez délicatement dans un cul-de-poule le saumon, l'œuf, les oignons verts, l'oignon blanc et le poivre. Répartissez la préparation en 6 portions égales afin de façonner autant de croquettes de 1 cm (½ po) d'épaisseur. Saupoudrez les croquettes de chapelure de biscuits salés et appuyez dessus afin que la chapelure y adhère. Jetez le surplus de chapelure.

2. Faites chauffer l'huile végétale dans une grande poêle à feu moyen-vif. Déposez les croquettes et faites-les cuire pendant 5 minutes de chaque côté. Déposez-les dans une assiette chemisée d'essuie-tout.

3. Badigeonnez de beurre fondu la mie et la croûte des pains mollets. Posez-les sur le gril, abaissez la plaque supérieure et faites-les griller jusqu'à ce que le gril laisse des traces, soit pendant 1 à 2 minutes. Retirez-les du gril et posez-les sur un plan de travail. Tartinez de rémoulade la mie de deux morceaux. Posez une croquette de saumon sur la moitié inférieure de chaque sandwich et garnissez-la de tomate, d'oignon et de laitue. Coiffez-les de leur moitié supérieure et appuyez doucement afin de les comprimer. Servez sans tarder.

Conseils : Petite fille, j'accompagnais ce sandwich de ketchup du commerce. Imaginez la suite… Rien n'a changé. Mes amis gastronomes n'en croient pas leurs yeux, alors; afin de les calmer et d'ajouter une note d'élégance à l'affaire, j'ai employé de la rémoulade afin de garnir ce sandwich. Malgré cela, si, comme moi, vous avez de temps en temps envie de retrouver les goûts de votre enfance, remplacez-la par du ketchup ! Conservez les croquettes de saumon qui restent au réfrigérateur pendant au plus 4 jours dans un contenant hermétique. Servez-les avec de la rémoulade, de la sauce cocktail ou sur un lit de verdure en guise de salade.

Panini aux sardines
et à la tomate balsamique 2 portions

Mon père et mon grand-père adorent manger des sardines sur des biscuits salés qu'ils accompagnent de moutarde forte. Petite fille, j'adorais cette collation qui me rapprochait du monde adulte (il s'agissait peut-être des prémices de ma carrière en cuisine). Je n'ai pas rangé cette recette dans la section réservée aux enfants pour d'évidentes raisons, mais j'espère que vous apprécierez les ingrédients que j'ai combinés avec les sardines.

Ingrédients

125 ml	tomates épépinées, hachées	½ tasse
5 ml	persil italien frais haché	1 c. à thé
5 ml	vinaigre balsamique	1 c. à thé
pincée	sel	pincée
pincée	poivre noir frais moulu	pincée
4	tranches de pain italien (1 cm ou ½ po d'épaisseur)	4
15 ml	huile d'olive	1 c. à soupe
10 ml	moutarde	2 c. à thé
4	sardines à l'huile égouttées, en purée	4
125 ml	parmesan frais râpé	½ tasse

Faites chauffer le grille-panini à la puissance maximale.

1. Mélangez dans un cul-de-poule les tomates, le persil, le vinaigre, le sel et le poivre.

2. Badigeonnez d'huile d'olive un côté de chaque tranche de pain. Posez deux tranches de pain du côté huilé sur un plan de travail et tartinez-les de moutarde. Garnissez-les ensuite de préparation à la sardine, de préparation à la tomate et de parmesan. Coiffez-les des deux autres tranches, le côté huilé à l'extérieur, et appuyez doucement dessus afin de les comprimer.

3. Posez les sandwiches sur le gril, abaissez la plaque supérieure et laissez-les dorer pendant 3 à 4 minutes. Taillez-les en deux et servez sans tarder.

Conseils : Ces ingrédients font une garniture idéale aux crostinis grillés que je prépare à l'aide de mon grille-panini. Bien qu'ici les sardines soient réduites en purée, vous pouvez employer des filets entiers.

Crevettes façon pool-boy 2 portions

Mes souvenirs d'enfance sont ponctués de voyages de pêche en haute mer au large des côtes du Texas et de tas de crevettes et de crabes que nous remontions de l'eau. Le soir venu, j'éprouvais beaucoup de plaisir à regarder mon père et oncle Jim qui faisaient frire des crevettes. Le lendemain, nous mangions de fabuleux sandwiches aux crevettes comme celui dont je vous donne la recette.

Ingrédients

750 ml	huile végétale (environ)	3 tasses
1	œuf	1
50 ml	babeurre	¼ tasse
10 ml	sel	2 c. à thé
500 ml	semoule de maïs blanche	2 tasses
2 ml	poivre noir frais moulu	½ c. à thé
2 ml	poivre de Cayenne	½ c. à thé
250 g	grosses crevettes pelées, déveinées	8 oz
2	baguettes de 15 cm (6 po) taillées en deux	2
15 ml	beurre fondu	1 c. à soupe
125 ml	rémoulade	½ tasse
	(reportez-vous à la page 180 pour la recette)	
125 ml	laitue iceberg découpée en lanières	½ tasse

Faites chauffer le grille-panini à la puissance maximale.

1. Faites chauffer environ 5 cm (2 po) d'huile dans une poêle lourde et profonde à feu vif jusqu'à ce que le thermomètre indique 190 °C (375 °F), soit pendant 10 minutes environ.

2. Entre-temps, mélangez, à l'aide d'un fouet, l'œuf, le babeurre et 5 ml (1 c. à thé) de sel dans un bol peu profond; laissez cette préparation de côté.

3. Mélangez dans un sac de plastique à glissière grand format la semoule de maïs, le reste de sel, le poivre noir et le poivre de Cayenne.

4. Déposez les crevettes par lots dans la préparation à l'œuf pour ensuite les soulever et laissez s'égoutter le surplus. Déposez-les alors dans la préparation à base de semoule, refermez le sac et remuez afin de bien les enduire. Au moment de sortir les crevettes du sac, agitez-les quelque peu pour enlever le surplus de semoule et jetez ce qui reste des préparations à l'œuf et à la semoule. Déposez délicatement les crevettes dans l'huile chaude et faites-les frire, en les tournant à une reprise, jusqu'à ce qu'elles soient bien dorées et cuites, soit pendant 1 ou 2 minutes. À l'aide d'une cuiller à rainures, déposez-les dans une assiette chemisée d'essuie-tout et conservez-les au chaud. Faites frire ainsi toutes les crevettes en veillant à ce que l'huile atteigne bien 190 °C (375 °C) entre chaque lot.

5. Badigeonnez de beurre fondu la croûte et la mie des baguettes. Posez-les sur le gril, abaissez la plaque supérieure et faites-les griller pendant 1 ou 2 minutes. Retirez-les du gril et posez-les sur la croûte sur un plan de travail. Tartinez de rémoulade les moitiés inférieures et garnissez-les de crevettes et de laitue. Coiffez-les de leur moitié supérieure et appuyez doucement dessus afin de les comprimer. Servez sans tarder.

Conseil : Alors que l'huile est bien chaude, pourquoi ne pas en profiter pour frire des morceaux de pommes de terre que vous servirez avec ce sandwich ?

Sandwiches au crabe
à carapace molle **2 portions**

J'ai eu le privilège de faire des études en arts culinaires à l'Université Johnson and Wales de Charleston, en Caroline du Sud où le crabe à carapace molle a la faveur populaire. J'y ai vite appris que l'on peut apprêter ce mets délicat de plusieurs façons. J'ai choisi de le frire et d'en garnir un panini.

Ingrédients

50 ml	semoule de maïs blanche	¼ tasse
50 ml	farine tout usage	¼ tasse
15 ml	épices cajun	1 c. à soupe
5 ml	poivre noir frais moulu	1 c. à thé
2	crabes à carapace molle, parés	2
	(reportez-vous à l'encadré ci-dessous)	
25 ml	beurre fondu	2 c. à soupe
50 ml	huile végétale	¼ tasse
2	pains mollets ou à hamburger taillés en deux	2
15 ml	beurre fondu	1 c. à soupe
125 ml	sauce tartare de Fay	½ tasse
	(reportez-vous à la page 179 pour la recette)	
4	fines tranches de tomate	4
2	fines tranches d'oignon	2
2	grandes feuilles de laitue rouge	2

Faites chauffer le grille-panini à la puissance maximale.

1. Mélangez dans un cul-de-poule la semoule de maïs, la farine, les épices cajun et le poivre. Badigeonnez le crabe de beurre fondu. Trempez le crabe dans la préparation à base de semoule et remuez-le afin d'enlever le surplus. Jetez le beurre et la semoule qui reste.

2. Faites chauffer l'huile dans une poêle antiadhésive à feu moyen-vif. Déposez les crabes dans l'huile et faites-les cuire en les retournant à une reprise jusqu'à ce qu'ils soient croustillants et dorés des deux côtés, soit pendant 2 à 3 minutes de chaque côté. Déposez-les dans une assiette chemisée d'essuie-tout.

3. Badigeonnez de beurre fondu la mie et la croûte des pains. Posez-les sur le gril, abaissez la plaque supérieure et faites-les griller pendant 1 ou 2 minutes, jusqu'à ce qu'ils portent les traces du gril. Retirez-les du gril et posez-les sur leur mie sur un plan de travail. Tartinez-les de sauce tartare. Posez les crabes frits sur deux tranches de pain et garnissez-les de tomate, d'oignon et de laitue. Coiffez-les de leur moitié supérieure et appuyez doucement dessus afin de les comprimer. Servez sans tarder.

Conseils : Évitez d'exercer une trop grande pression lorsque vous abaissez la plaque supérieure de l'appareil. Les pains à hamburger sont de la taille et de la forme indiquées pour recevoir le crabe. Je sers ce sandwich avec de la sauce à fruits de mer rehaussée de sauce Worcestershire en guise de tartinade ou encore pour y tremper le pain.

Panini au thon et aux artichauts **2 portions**

Ce mélange de saveurs est aussi fabuleux dans une salade qu'à l'intérieur d'un panini.

Ingrédients

1	boîte de thon albacore conservé dans l'eau, égoutté (170 g ou 6 oz)	1
4	artichauts conservés dans l'eau, égouttés	4
25 ml	poivron rouge grillé, haché	2 c. à soupe
25 ml	basilic frais, finement ciselé	2 c. à soupe
10 ml	olives niçoises égouttées, hachées	2 c. à thé
5 ml	câpres égouttées	1 c. à thé
25 ml	mayonnaise	2 c. à soupe
15 ml	jus de citron frais	1 c. à soupe
pincée	sel	pincée
pincée	poivre noir frais moulu	pincée
2	pains à sous-marin taillés en deux	2
15 ml	huile d'olive	1 c. à soupe
4	tranches d'oignon fines	4
4	fines tranches de tomate	4

Faites chauffer le grille-panini à la puissance maximale.

1. Mélangez dans un cul-de-poule le thon, les artichauts, le poivron rouge, le basilic, les olives, les câpres, la mayonnaise, le jus de citron, le sel et le poivre.

2. Posez les pains à sous-marin sur leur mie sur un plan de travail et badigeonnez leur croûte d'huile d'olive. Tournez-les et garnissez les moitiés inférieures de préparation au thon, de tranches d'oignon et de tomate. Coiffez-les de leur moitié supérieure et appuyez doucement dessus afin de les comprimer.

3. Posez les sandwiches sur le gril, abaissez la plaque supérieure et laissez-les dorer pendant 3 à 4 minutes. Taillez-les en deux et servez sans tarder.

Conseils : Les olives niçoises sont délicieuses, mais les olives grecques ou n'importe quelle autre variété saumurée feront tout aussi bien l'affaire. Égouttez bien le thon et les artichauts pour éviter de vous retrouver avec du pain détrempé.

paninis au poulet et à la dinde

Panini au poulet rôti **2 portions**

La sauce barbecue rehausse la saveur de ce panini au poulet, en particulier lorsqu'on l'associe à l'oignon rouge, l'avocat et la tomate fraîche.

Ingrédients

4	tranches de baguette (1 cm ou ½ po d'épaisseur)	4
15 ml	beurre fondu	1 c. à soupe
125 g	poitrine de poulet grillée, en fines tranches	4 oz
60 g	provolone en fines tranches	2 oz
125 ml	sauce barbecue du commerce (ou reportez-vous à la page 182 pour la recette)	½ tasse
6	fines tranches d'oignon rouge	6
1	petit avocat en tranches	1
1	petite tomate oblongue (Roma) en fines tranches	1

Faites chauffer le grille-panini à la puissance maximale.

1. Badigeonnez de beurre fondu un côté de chaque tranche de pain. Posez-les du côté beurré sur un plan de travail. Garnissez les moitiés inférieures de poulet, de fromage et d'un filet de sauce barbecue. Ajoutez ensuite l'oignon, l'avocat et la tomate. Coiffez-les de leur moitié supérieure et appuyez doucement dessus afin de les comprimer.

2. Posez les sandwiches sur le gril, abaissez la plaque supérieure et laissez-les dorer pendant 3 à 4 minutes. Servez sans tarder.

Conseils : Prévoyez des serviettes de table supplémentaires avant de croquer dans ce savoureux panini ! Servez ce sandwich avec une salade Parmentier ou une salade de chou.

Variante : Laissez tomber l'avocat et la tomate et remplacez-les par quelques tranches de cornichons à l'aneth.

Panini adobe 2 portions

Ce panini coloré réunit des haricots noirs et de la salsa de maïs qui garnissent de la dinde rôtie et de la mozzarella. Préparez davantage de salsa pour y tremper le sandwich et servez en guise de boisson des margaritas bien froides.

Ingrédients

2	pains bolillos taillés en deux	2
15 ml	huile d'olive	1 c. à soupe
25 ml	mayonnaise au chipotle	2 c. à soupe
	(reportez-vous à la page 177 pour la recette)	
90 g	poitrine de dinde fumée en fines tranches	3 oz
60 g	mozzarella en tranches	2 oz
125 ml	salsa au maïs et aux haricots noirs	½ tasse
	(reportez-vous à la page 170 pour la recette)	
50 ml	tranches de poivron vert grillé	¼ tasse

Faites chauffer le grille-panini à la puissance maximale.

1. Posez les pains sur leur mie sur un plan de travail et badigeonnez la croûte d'huile d'olive. Tournez-les et tartinez-les de mayonnaise. Garnissez les moitiés inférieures de dinde fumée, de mozzarella, de salsa et de poivron vert. Coiffez-les des moitiés supérieures et appuyez doucement dessus afin de les comprimer.

2. Posez les sandwiches sur le gril, abaissez la plaque supérieure et laissez-les dorer pendant 3 à 4 minutes. Servez sans tarder.

Conseils : Les pains bolillos, parmi les plus populaires du Mexique, sont confectionnés à partir d'une pâte semblable à celle dont on fait la baguette française. Ils ont une croûte craquante qui protège une mie moelleuse. Si vous n'en trouvez pas, remplacez-les par des pains à sous-marin ou des petits pains au levain. Bien que j'aime préparer des mayonnaises aromatisées, je dois dire que celles du commerce sont de bonne qualité. Parmi mes préférées : la mayo parfumée au chipotle ou au wasabi.

Panini au bleu, au poulet et aux pommes *2 portions*

La poitrine de poulet grillée, la saveur douce et puissante de la moutarde au miel, des tranches de Granny Smith bien craquantes, des épinards frais, du bacon et quelques miettes de fromage bleu — ce panini fondra dans votre bouche et vous mourrez d'envie d'en croquer une autre bouchée, et une autre…

Ingrédients

2	ciabattas taillées en deux	2
15 ml	huile d'olive	1 c. à soupe
25 ml	moutarde au miel	2 c. à soupe
125 g	poitrine de poulet grillée en fines tranches	4 oz
125 ml	jeunes pousses d'épinards	½ tasse
50 ml	fromage bleu émietté	¼ tasse
6	tranches fines de pommes Granny Smith (avec la pelure)	6
4	tranches de bacon épaisses, croustillantes	4

Faites chauffer le grille-panini à la puissance maximale.

1. Posez les ciabattas sur leur mie sur un plan de travail et badigeonnez la croûte d'huile. Tournez-les et tartinez-les de moutarde. Garnissez les moitiés inférieures de poulet, d'épinards, de fromage bleu, de pomme et de bacon. Coiffez-les de leur moitié supérieure et appuyez doucement dessus afin de les comprimer.

2. Posez les sandwiches sur le gril, abaissez la plaque supérieure et laissez-les dorer pendant 3 à 4 minutes. Servez sans tarder.

Variantes : Remplacez la pomme par une poire, si vous en avez une mûre à point. J'aime également ce sandwich garni de feta émiettée en remplacement du fromage bleu.

Panini au poulet à la mode du Sud-Ouest 2 portions

Les saveurs propres au Sud-Ouest des États-Unis, alliées au goût poivré de la roquette, font de ce sandwich le préféré de tous !

Ingrédients

2	ciabattas taillées en deux	2
15 ml	huile d'olive	1 c. à soupe
25 ml	mayonnaise au chipotle du commerce	2 c. à soupe
	(ou reportez-vous à la page 177 pour la recette)	
125 g	poitrine de poulet grillée en fines tranches	4 oz
60 g	fromage au poivre en fines tranches	2 oz
125 ml	roquette	½ tasse
4	fines tranches de tomate	4
4	fines tranches d'oignon rouge	4
pincée	sel	pincée
pincée	poivre noir frais moulu	pincée

Faites chauffer le grille-panini à la puissance maximale.

1. Posez les pains sur leur mie sur un plan de travail et badigeonnez la croûte de beurre fondu. Tournez-les et tartinez-les de mayonnaise. Garnissez les moitiés inférieures de poulet grillé, de fromage, de roquette, de tomate et d'oignon rouge. Salez et poivrez. Coiffez-les de leur moitié supérieure et appuyez doucement dessus afin de les comprimer.

2. Posez les sandwiches sur le gril, abaissez la plaque supérieure et laissez-les dorer pendant 3 à 4 minutes. Servez sans tarder.

Conseil : On trouve du poulet grillé au comptoir des mets à emporter du supermarché. Si vous manquez de temps, employez du poulet rôti à la broche.

Variante : Vous devez consommer davantage d'ingrédients contenant du fer? Remplacez la roquette par des épinards.

Panini au poulet façon César 2 portions

La salade César au poulet grillé compte parmi mes préférées; j'ai donc transformé la recette pour en faire un panini.

Ingrédients

1	gousse d'ail émincée	1
60 ml	huile d'olive	4 c. à soupe
15 ml	jus de citron frais	1 c. à soupe
2 ml	sauce au piment (genre Tabasco)	½ c. à thé
5 ml	pâte d'anchois	1 c. à thé
2	poitrines de poulet désossées, sans la peau (125 g ou 4 oz chacune)	2
2	fougasses de 10 cm (4 po) taillées en deux à l'horizontale	2
2	feuilles de laitue romaine	2
125 ml	copeaux de parmesan	½ tasse
pincée	poivre noir frais moulu	pincée

Faites chauffer le grille-panini à la puissance maximale.

1. Mélangez à l'intérieur d'un sac plastique à glissière grand format l'ail, 45 ml (3 c. à soupe) d'huile d'olive, le jus de citron, la sauce au piment et la pâte d'anchois. Mettez-en de côté 25 ml (2 c. à soupe). Déposez le poulet dans le sac, refermez-le et mettez-le au réfrigérateur pendant 1 heure ou 2. Sortez le poulet du sac et jetez la marinade.

2. Faites chauffer le grille-panini à la température maximale. Posez le poulet sur la plaque inférieure, abaissez la plaque supérieure et faites griller le poulet jusqu'à ce qu'il ne soit plus rosé à l'intérieur, soit pendant 5 minutes environ. Déposez-le dans une assiette et conservez-le au chaud. Nettoyez soigneusement les plaques du gril.

3. Posez les fougasses sur la mie sur un plan de travail et badigeonnez la croûte d'huile d'olive. Tournez-les et badigeonnez la mie de la marinade que vous avez mise de côté. Garnissez les moitiés inférieures de poulet, de laitue et de fromage. Poivrez le tout. Coiffez-les de leur moitié supérieure et appuyez doucement dessus afin de les comprimer.

4. Posez les sandwiches sur le gril, abaissez la plaque supérieure et laissez-les dorer pendant 3 à 4 minutes. Servez sans tarder.

Variante : Remplacez le poulet par 250 g (8 oz) de crevettes grillées comme vous le feriez d'une salade César.

73

Panini au poulet et au pesto **2 portions**

Voici un mariage de saveurs qui a la faveur populaire : du pesto odorant, du poulet grillé, des tomates confites au soleil, des épinards et de l'oignon rouge avec du provolone fondant.

Ingrédients

2	pains mollets italiens taillés en deux	2
15 ml	beurre fondu	1 c. à soupe
50 ml	pesto de basilic du commerce	¼ tasse
	(ou reportez-vous à la page 183 pour la recette)	
60 g	poitrine de poulet grillée, en fines tranches	2 oz
60 g	provolone en fines tranches	2 oz
125 ml	jeunes pousses d'épinards	½ tasse
15 ml	tomates confites au soleil conservées dans l'huile	1 c. à soupe
	égouttées, hachées	
4	fines tranches d'oignon rouge	4

Faites chauffer le grille-panini à la puissance maximale.

1. Posez les pains sur leur mie sur un plan de travail et badigeonnez la croûte de beurre fondu. Tournez-les et tartinez-les de pesto. Garnissez les moitiés inférieures de poulet grillé, de fromage, d'épinards, de tomates confites et d'oignon rouge. Coiffez-les de leur moitié supérieure et appuyez doucement dessus afin de les comprimer.

2. Posez les sandwiches sur le gril, abaissez la plaque supérieure et laissez-les dorer pendant 3 à 4 minutes. Servez sans tarder.

Conseil : Égouttez comme il se doit les tomates confites et épongez-les à l'aide d'un essuie-tout, à défaut de quoi le pain sera détrempé.

Variantes : Ajoutez au croquant et à la valeur nutritive de ce sandwich grâce à des tranches de poivron rouge, jaune, vert ou orange. Afin d'intensifier la saveur, remplacez les épinards par des feuilles de basilic.

Panini au poulet grillé, aux épinards, au poivron rouge et au fromage poivré 2 portions

Ce sandwich plein de saveur est un véritable chef-d'œuvre culinaire !

Ingrédients

2	poitrines de poulet désossées sans la peau ramenées à une épaisseur de 1 cm (½ po) (125 g ou 4 oz chacune)	2
pincée	sel	pincée
pincée	poivre noir frais moulu	pincée
2	ciabattas taillées en deux	2
15 ml	huile d'olive	1 c. à soupe
60 g	fromage poivré en tranches	2 oz
125 ml	jeunes pousses d'épinards	½ tasse
50 ml	tranches de poivron rouge grillé	¼ tasse

Faites chauffer le grille-panini à la puissance maximale.

1. Salez et poivrez le poulet. Déposez-le sur la plaque inférieure du gril, abaissez la plaque supérieure et faites-le griller jusqu'à ce qu'il ne soit plus rosé à l'intérieur, soit pendant 5 minutes environ. Déposez-le dans une assiette et conservez-le au chaud. Nettoyez soigneusement les plaques du gril.

2. Posez les ciabattas sur leur mie sur un plan de travail et badigeonnez la croûte d'huile d'olive. Tournez-les et garnissez les moitiés inférieures de poulet, de fromage, d'épinards et de poivron grillé. Coiffez-les de leur moitié supérieure et appuyez doucement dessus afin de les comprimer.

3. Posez les sandwiches sur le gril, abaissez la plaque supérieure et laissez-les dorer pendant 3 à 4 minutes. Servez sans tarder.

Variantes : On peut remplacer avantageusement le poulet par de la dinde. Employez la poitrine de dinde en tranches que l'on trouve dans le rayon des charcuteries ou encore de la dinde au poivre ou au sausalito. Il m'arrive parfois de remplacer le poivron grillé par une macédoine de poivrons rouge, jaune et vert bien craquants.

Panini à la dinde fumée, au cresson et au stilton 2 portions

Autrefois, j'adorais déguster ces sandwiches fins. Un jour, j'ai décidé de les passer au grille-panini et, depuis, je suis au septième ciel.

Ingrédients

4	tranches de pain de blé complet (1 cm ou ½ po d'épaisseur)	4
15 ml	beurre fondu	1 c. à soupe
25 ml	aïoli du commerce (ou reportez-vous à la page 179 pour la recette)	2 c. à soupe
60 g	poitrine de dinde fumée en fines tranches	2 oz
4	fines tranches de tomate	4
125 ml	feuilles de cresson	½ tasse
60 g	fromage stilton émietté	2 oz

Faites chauffer le grille-panini à la puissance maximale.

1. Badigeonnez de beurre fondu un côté de chaque tranche de pain. Posez deux tranches du côté beurré sur un plan de travail et tartinez-les d'aïoli. Garnissez-les de dinde fumée, de tomate, de cresson et de miettes de stilton. Coiffez-les des deux autres tranches, le côté beurré à l'extérieur, et appuyez doucement dessus afin de les comprimer.

2. Posez les sandwiches sur le gril, abaissez la plaque supérieure et laissez-les dorer pendant 3 à 4 minutes. Servez sans tarder.

Conseil : Saviez-vous que le cresson de fontaine pousse dans l'eau froide des mares et des ruisseaux ? Cette plante herbacée appartient à la famille des moutardes. Le cresson est doté de petites feuilles d'un vert foncé à la saveur puissante, amère et quelque peu poivrée. Déposez-le en bouquet dans un vase contenant de l'eau fraîche et couvrez-le d'un sac de plastique; il se conservera ainsi pendant 5 jours au réfrigérateur.

Quesadilla au poulet grillé et au tomatillo 2 portions

C'est ma chère amie Dianna Barrios Trevino, qui est propriétaire de deux restaurants mexicains dans la région de San Antonio (*Los Barrios et La Hacienda De Los Barrios*), qui m'a donné cette recette. Elle met en lumière plusieurs ingrédients-vedettes de la cuisine mexicaine.

Ingrédients

175 ml	dés de poitrines de poulet grillées	¾ tasse
50 ml	sauce aux tomatillos	¼ tasse
	(reportez-vous à la page 184 pour la recette)	
50 ml	haricots noirs rincés, égouttés	¼ tasse
50 ml	épis de maïs surgelés, décongelés	¼ tasse
50 ml	dés de tomate	¼ tasse
25 ml	oignon rouge haché fin	2 c. à soupe
15 ml	coriandre fraîche hachée	1 c. à soupe
15 ml	crème aigre	1 c. à soupe
15 ml	salsa	1 c. à soupe
2	tortillas de farine de 20 ou 25 cm (8 à 10 po)	2
10 ml	beurre fondu	2 c. à thé
125 ml	fromage Monterey Jack râpé	½ tasse
1	avocat en fines tranches	1

Faites chauffer le grille-panini à la puissance maximale.

1. Mélangez dans un cul-de-poule le poulet, la sauce aux tomatillos, les haricots noirs, les épis de maïs, la tomate, l'oignon, la coriandre, la crème aigre et la salsa.

2. Badigeonnez de beurre fondu un côté de chaque tortilla. Posez-les du côté beurré sur un plan de travail et étalez de la préparation au poulet sur la moitié de chacune en prévoyant une bordure de 1 cm (½ po) tout autour. Saupoudrez sur chacune la moitié du fromage râpé. Repliez les tortillas sur la garniture et exercez une pression tout autour afin de sceller l'ensemble.

3. Posez les sandwiches sur le gril, abaissez la plaque supérieure et laissez-les dorer pendant 3 à 4 minutes jusqu'à ce que la garniture soit très chaude et le fromage, fondu. Taillez chaque sandwich en deux et servez sans tarder avec des tranches d'avocat.

Variante : Remplacez la salsa et l'oignon rouge par 45 ml (3 c. à soupe) de pico de gallo frais. Préparez-le vous-même ou cherchez-le au rayon des produits frais de votre supermarché.

Panini à la dinde et aux canneberges **2 portions**

Ce n'est que raison que les canneberges soient inscrites au menu de l'Action de grâces, que ce soit en sauce, en chutney ou au dessert : elles complètent à merveille le goût de la dinde et je les adore. Vous serez ravi du mariage entre la dinde rôtie (des restes si vous en avez), la sauce aux canneberges et le fromage à la crème.

Ingrédients

4	tranches de pain de blé complet (1 cm ou ½ po d'épaisseur)	4
15 ml	beurre fondu	1 c. à soupe
50 ml	fromage à la crème amolli	¼ tasse
50 ml	sauce aux canneberges entières	¼ tasse
175 g	poitrine de dinde rôtie, tranchée	6 oz

Faites chauffer le grille-panini à la puissance maximale.

1. Badigeonnez de beurre fondu un côté de chaque tranche de pain. Posez-les du côté beurré sur un plan de travail et tartinez-les de fromage à la crème. Garnissez les moitiés inférieures de tranches de dinde. Coiffez-les des autres tranches de pain et appuyez doucement dessus afin de les comprimer.

2. Posez les sandwiches sur le gril, abaissez la plaque supérieure et laissez-les dorer pendant 3 à 4 minutes. Servez sans tarder.

Conseil : La sauce aux canneberges nous est proposée en gelée ou avec des baies entières. Je préfère cette dernière version dans ce panini.

Le panini de Meg 2 portions

Voici les ingrédients préférés de mon amie Meg; nous les avons réunis pour en faire un panini. La vinaigrette à la russe ajoute du piquant à l'ensemble.

Ingrédients

4	tranches de pain pumpernickel (2,5 cm ou 1 po d'épaisseur)	4
15 ml	beurre fondu	1 c. à soupe
60 g	poitrine de dinde fumée en tranches	2 oz
60 g	brie sans sa croûte en fines tranches	2 oz
6	fines tranches de Granny Smith (avec la pelure)	6
50 ml	germes de luzerne	¼ tasse
50 ml	vinaigrette à la russe du commerce (ou reportez-vous à la page 173 pour la recette)	¼ tasse

Faites chauffer le grille-panini à la puissance maximale.

1. Badigeonnez de beurre fondu un côté de chaque tranche de pain. Posez-les du côté beurré sur un plan de travail. Garnissez les moitiés inférieures de dinde, de fromage brie, de pomme et de luzerne. Versez dessus un filet de vinaigrette. Coiffez-les de leur moitié supérieure et appuyez doucement dessus afin de les comprimer.

2. Posez les sandwiches sur le gril, abaissez la plaque supérieure et laissez-les dorer pendant 3 à 4 minutes. Servez sans tarder.

Conseils : La pelure de la pomme ajoute à la valeur nutritive du sandwich et lui donne plus de croquant.

Variante : Remplacez la vinaigrette à la russe par de la vinaigrette à la française.

Panini au poulet grillé, au brie et aux poires **2 portions**

Le poulet grillé accompagne à merveille le fromage brie et les poires fermes, mûries à point. On trouve des poires à l'année dans les supermarchés. Choisissez votre variété préférée (pour ma part, ce sont les Bosc) et savourez leur fraîcheur rehaussée d'un peu de confiture aux abricots et d'oignon rouge.

Ingrédients

4	tranches de pain de blé complet (1 cm ou ½ po d'épaisseur)	4
15 ml	huile d'olive	1 c. à soupe
15 ml	mayonnaise	1 c. à soupe
15 ml	confiture d'abricots ou abricots dans le sirop	1 c. à soupe
60 g	poitrine de poulet grillée en fines tranches	2 oz
60 g	brie sans sa croûte en fines tranches	2 oz
2	feuilles de laitue frisée	2
2	fines tranches d'oignon rouge	2
1	poire mûre mais ferme, en fines tranches	1

Faites chauffer le grille-panini à la puissance maximale.

1. Badigeonnez d'huile d'olive un côté de chaque tranche de pain. Posez-les du côté huilé sur un plan de travail et tartinez-en deux de mayonnaise. Tartinez les deux autres de confiture d'abricots. Garnissez les moitiés inférieures de poulet, de laitue, d'oignon et de poire. Coiffez-les des moitiés supérieures et appuyez doucement dessus afin de les comprimer.

2. Posez les sandwiches sur le gril, abaissez la plaque supérieure et laissez-les dorer pendant 3 à 4 minutes. Servez sans tarder.

Conseils : Employez un couteau d'office bien aiguisé afin de peler la croûte du brie. Afin de conserver la laitue, rincez-la à l'eau froide et épongez-la à l'aide d'essuie-tout avant de l'emballer dans de la pellicule plastique et de la ranger dans le bac à légumes du réfrigérateur.

Panini à la dinde avec chutney de canneberges et graines de tournesol **2 portions**

J'a-do-re ce panini. Les canneberges et la dinde me rappellent l'Action de grâces, mais je n'ai pas à attendre cette fête pour savourer ce délice. Les graines de tournesol ajoutent de la saveur et du craquant à l'ensemble.

Ingrédients

4	tranches de baguette	4
	(1 cm ou ½ po d'épaisseur)	
15 ml	huile d'olive	1 c. à soupe
50 ml	chutney de canneberges	¼ tasse
25 ml	mayonnaise	2 c. à soupe
90 g	poitrine de dinde rôtie, en fines tranches	3 oz
60 g	gruyère en fines tranches	2 oz
6	fines tranches de tomate oblongue (Roma)	6
2	feuilles de laitue frisée	2

Faites chauffer le grille-panini à la puissance maximale.

1. Badigeonnez d'huile d'olive un côté de chaque tranche de pain. Posez-les du côté huilé sur un plan de travail et tartinez deux tranches de chutney. Tartinez deux autres tranches de mayonnaise. Garnissez les moitiés inférieures de dinde , de gruyère, de tomate et de laitue. Saupoudrez les graines de tournesol. Coiffez-les des deux autres tranches de pain et appuyez doucement dessus afin de les comprimer.

2. Posez les sandwiches sur le gril, abaissez la plaque supérieure et laissez-les dorer pendant 3 à 4 minutes. Servez sans tarder.

Variante : Remplacez les graines de tournesol par des noix grillées hachées.

Panini à la dinde et au bacon 2 portions

La fougasse fait une base consistante à ce panini à la dinde que viennent nuancer les saveurs du gouda et du bacon. Le croissant peut aussi être un bon choix de base.

Ingrédients

2	fougasses de 10 cm (4 po) taillées en deux à l'horizontale ou croissants	2
15 ml	huile d'olive	1 c. à soupe
25 ml	vinaigrette Mille-Îles du commerce (ou reportez-vous à la page 173 pour la recette)	2 c. à soupe
125 g	poitrine de dinde fumée en fines tranches	4 oz
60 g	fines tranches de gouda fumé	2 oz
250 ml	mesclun	1 tasse
4	fines tranches de tomate	4
4	tranches de bacon épaisses, croustillantes	4

Faites chauffer le grille-panini à la puissance maximale.

1. Posez les fougasses sur leur mie sur un plan de travail et badigeonnez la croûte d'huile d'olive. Tournez-les et badigeonnez-les de vinaigrette. Garnissez les moitiés inférieures de dinde fumée, de gouda, de mesclun, de tomate et de bacon. Coiffez-les de leur moitié supérieure et appuyez doucement dessus afin de les comprimer.

2. Posez les sandwiches sur le gril, abaissez la plaque supérieure et laissez-les dorer pendant 3 à 4 minutes. Servez sans tarder.

Conseil : Afin d'épargner du temps, procurez-vous du mesclun rincé à l'avance et du bacon précuit.

paninis au bœuf

Panini au corned-beef et à la fontina 2 portions

Du corned-beef, de la moutarde forte et des cornichons à l'aneth rendent ce sandwich pour le moins impertinent. J'en ai quelque peu adouci la saveur en y ajoutant de la fontina.

Ingrédients

4	tranches de pain pumpernickel (1 cm ou ½ po d'épaisseur)	4
15 ml	beurre fondu	1 c. à soupe
25 ml	moutarde forte	2 c. à soupe
125 ml	corned-beef en fines tranches	4 oz
60 g	fontina en fines tranches	2 oz
6	tranches de cornichon à l'aneth	6
4	tranches d'oignon mariné	4

Faites chauffer le grille-panini à la puissance maximale.

1. Badigeonnez de beurre fondu un côté de chaque tranche de pain. Posez-les du côté beurré sur un plan de travail et tartinez-les de moutarde. Garnissez les moitiés inférieures de corned-beef, de fontina, de cornichon et d'oignon. Coiffez-les de leur moitié supérieure et appuyez doucement dessus afin de les comprimer.

2. Posez les sandwiches sur le gril, abaissez la plaque supérieure et laissez-les dorer pendant 3 à 4 minutes. Servez sans tarder.

Conseils : Servez ce sandwich avec une salade de chou crémeuse ou une salade Parmentier. Si vous en trouvez, employez du pain de seigle marbré.

Panini au bifteck, au bacon et au bleu 2 portions

Le bifteck de filet est mon morceau de bœuf préféré car il est très maigre et nutritif. J'adore le bifteck de filet lardé de bacon et cuit à point sur le gril ou le barbecue, servi en salade ou en sandwich, comme ici.

Ingrédients

4	tranches de pain au levain (1 cm ou ½ po d'épaisseur)	4
15 ml	d'huile d'olive	1 c. à soupe
175 g	bifteck de filet cuit, en fines tranches	6 oz
4	tranches de bacon croustillantes	4
75 ml	sauce barbecue au chipotle du commerce (ou reportez-vous à la page 182 pour la recette)	⅓ tasse
25 ml	fromage bleu émietté	2 c. à soupe
4	fines tranches de tomate	4
4	fines tranches d'oignon rouge	4
2	feuilles de laitue	2

Faites chauffer le grille-panini à la puissance maximale.

1. Badigeonnez d'huile d'olive un côté de chaque tranche de pain. Posez deux tranches du côté huilé sur un plan de travail et garnissez-les de bifteck et de bacon. Nappez-les d'un filet de sauce barbecue et garnissez-les de miettes de bleu. Couvrez-les ensuite de tranches de tomate, d'oignon rouge et de feuilles de laitue. Coiffez-les des deux autres tranches de pain et appuyez doucement dessus afin de les comprimer.

2. Posez les sandwiches sur le gril, abaissez la plaque supérieure et laissez-les dorer pendant 3 à 4 minutes. Servez sans tarder.

Conseils : Le bœuf contient plusieurs éléments nutritifs, dont le zinc, le fer, les protéines et les vitamines du complexe B qui travaillent chaque jour aussi fort que vous ! Je cuis les biftecks à point, c'est-à-dire pour que la viande ne soit ni trop saignante ni trop cuite, car alors ils ont un maximum de saveur et de tendreté. Un bifteck est cuit à point lorsque sa chaleur interne oscille autour de 63 °C (145 °F).

Panini au bœuf qui a du caractère

2 portions

Quiconque est, comme moi, originaire du Texas adore le bœuf et les mets épicés. Voilà pourquoi j'ai assorti du bœuf et des piments jalapeños. Le fromage au poivre crémeux confère davantage de caractère à ce sandwich sans toutefois être trop présent.

Ingrédients

2	ciabattas taillées en deux	2
15 ml	beurre fondu	1 c. à soupe
15 ml	mayonnaise	1 c. à soupe
60 g	rôti de bœuf en fines tranches	2 oz
60 g	fromage au poivre en fines tranches	2 oz
50 ml	piments jalapeños marinés, égouttés en fines tranches	¼ tasse
50 ml	oignon haché	¼ tasse

Faites chauffer le grille-panini à la puissance maximale.

1. Posez les ciabattas sur leur mie sur un plan de travail et badigeonnez la croûte de beurre fondu. Tournez-les et tartinez-les de mayonnaise. Garnissez les moitiés inférieures de rôti de bœuf, de fromage, de piments jalapeños et d'oignon. Coiffez-les de leur moitié supérieure et appuyez doucement dessus afin de les comprimer.

2. Posez les sandwiches sur le gril, abaissez la plaque supérieure et laissez-les dorer pendant 3 à 4 minutes. Servez sans tarder.

Conseil : Le rôti de bœuf au poivre que l'on trouve au rayon des charcuteries convient à merveille à ce sandwich, mais dosez les autres ingrédients épicés selon votre goût.

Panini au rôti de bœuf, au Boursin, à l'oignon rouge et à la roquette **2 portions**

Le fromage Boursin est le complément idéal du bœuf, de l'oignon rouge et de la roquette, et fait en bouche une explosion de saveurs qui ne laissera personne indifférent.

Ingrédients

2	pains bolillos taillés en deux	2
	(reportez-vous au conseil de la page 70)	
15 ml	huile d'olive	1 c. à soupe
45 ml	fromage Boursin	3 c. à soupe
60 g	rôti de bœuf en fines tranches	2 oz
125 ml	roquette sans tiges	½ tasse
50 ml	oignon rouge en tranches	¼ tasse

Faites chauffer le grille-panini à la puissance maximale.

1. Posez les pains sur leur mie sur un plan de travail et badigeonnez la croûte d'huile d'olive. Tournez-les et tartinez-les de fromage. Garnissez les moitiés inférieures de rôti de bœuf, de roquette et d'oignon. Coiffez-les des moitiés supérieures et appuyez doucement dessus afin de les comprimer.

2. Posez les sandwiches sur le gril, abaissez la plaque supérieure et laissez-les dorer pendant 3 à 4 minutes. Servez sans tarder.

Conseils : Le fromage Boursin est peut-être le plus connu des triple-crème importés de France. Sa pâte riche et souple, non apprêtée, est souvent aromatisée de fines herbes, d'ail ou de grains de poivre. Il a une saveur délicate et une consistance veloutée. Il entre dans la composition de nombreuses recettes et est part intégrante du plateau à fromages que je présente lorsque je donne une réception élégante. Servez ces sandwichs avec des raisins et des fraises qui en rehaussent la saveur.

Panini au rôti de bœuf et à la tapenade aux olives 2 portions

J'aime bien tout ce qu'il est possible de faire avec la tapenade aux olives, en particulier lorsqu'on l'associe au fromage Boursin. Ma recette de tapenade se trouve à la page 181, mais on en trouve plusieurs marques dans le commerce qui me plaisent tout autant.

Ingrédients

4	tranches de pain italien (2,5 cm ou 1 po d'épaisseur)	4
15 ml	huile d'olive	1 c. à soupe
25 ml	fromage Boursin	2 c. à soupe
25 ml	tapenade aux olives de premier choix du commerce (ou reportez-vous à la page 181 pour la recette)	2 c. à soupe
15 ml	moutarde de Dijon à l'ancienne	1 c. à soupe
60 g	rôti de bœuf en fines tranches	2 oz
2	feuilles de laitue rouge	2
125 ml	fines tranches d'oignon rouge	½ tasse

Faites chauffer le grille-panini à la puissance maximale.

1. Badigeonnez d'huile d'olive un côté de chaque tranche de pain. Posez-les du côté huilé sur un plan de travail et tartinez les moitiés inférieures de fromage et de tapenade. Tartinez les moitiés supérieures de moutarde. Garnissez les moitiés inférieures de bœuf, de laitue et d'oignon. Coiffez-les des moitiés supérieures et appuyez doucement dessus afin de les comprimer.

2. Posez les sandwiches sur le gril, abaissez la plaque supérieure et laissez-les dorer pendant 3 à 4 minutes. Servez sans tarder.

Conseils : Allégez cette recette en employant du Boursin fait de lait écrémé. Ajoutez une saveur particulière en choisissant du rôti de bœuf provenant d'une charcuterie hébraïque.

Variante : Confectionnez ce sandwich avec mon pain préféré, celui au levain.

Panini au bœuf garni
de confiture d'oignons sucrés 2 portions

La saveur de cette confiture d'oignons sucrés, relevée d'un soupçon de vinaigre de cidre, est idéale pour accompagner le rôti de bœuf.

Ingrédients

15 ml	huile de canola	1 c. à soupe
250 ml	fines tranches d'oignon rouge	1 tasse
15 ml	sucre granulé	1 c. à soupe
15 ml	sirop de maïs léger (blanc ou doré)	1 c. à soupe
15 ml	vinaigre de cidre	1 c. à soupe
pincée	sel	pincée
pincée	poivre noir frais moulu	pincée

Sandwich

2	pains bolillos taillés en deux	2
15 ml	huile d'olive	1 c. à soupe
60 g	rôti de bœuf en fines tranches	2 oz
2	feuilles de laitue	2

Faites chauffer le grille-panini à la puissance maximale.

1. Préparation de la confiture d'oignons : Faites chauffer l'huile de canola dans une poêle à frire à feu moyen-vif. Ajoutez les oignons et faites-les sauter jusqu'à ce qu'ils aient fondu, soit pendant 5 à 7 minutes. Ajoutez en remuant le sucre, le sirop de maïs, le vinaigre, le sel et le poivre; réduisez l'intensité du feu à la température minimale et laissez cuire en remuant à l'occasion jusqu'à épaississement, soit pendant 20 à 25 minutes. Retirez du feu et conservez au chaud.

2. Préparation du sandwich : Posez les pains sur leur mie sur un plan de travail et badigeonnez la croûte d'huile d'olive. Tournez-les et garnissez les moitiés inférieures de rôti de bœuf, de confiture d'oignons et de feuilles de laitue. Coiffez-les de leur moitié supérieure et appuyez doucement dessus de manière à les comprimer.

3. Posez les sandwiches sur le gril, abaissez la plaque supérieure et laissez-les dorer pendant 3 à 4 minutes. Servez sans tarder.

Conseils : La confiture d'oignons sucrés se conserve au réfrigérateur dans un récipient hermétique pendant près d'une semaine. Elle accompagne la volaille, le porc et les légumes. Les pains bolillos, parmi les plus populaires du Mexique, sont confectionnés à partir d'une pâte semblable à celle dont on fait la baguette. Ils ont une croûte craquante qui protège une mie moelleuse. Si vous n'en trouvez pas, remplacez-les par des pains à sous-marin ou des petits pains au levain.

Panini au bifteck et au basilic **2 portions**

Le basilic frais dégage un tel parfum qu'il ajoute à l'attrait olfactif de ce panini, en plus de soigner son apparence et son goût. Ce sandwich est un peu plus classe que les autres, mais vous pouvez quand même le servir en pique-nique dans des assiettes de carton. Flûte ! J'aime tous les tours que peuvent prendre les paninis.

Ingrédients

1	gousse d'ail émincée	1
1 ml	sel	¼ c. à thé
1 ml	poivre au citron frais moulu	¼ c. à thé
2	biftecks de filet	2
	(environ 2,5 cm ou 1 po d'épaisseur)	
2	ciabattas taillées en deux	2
15 ml	huile d'olive	1 c. à soupe
25 ml	mayonnaise au basilic	2 c. à soupe
	(reportez-vous à la page 174 pour la recette)	
125 ml	mozzarella râpée	½ tasse
50 ml	feuilles de basilic frais	¼ tasse
4	fines tranches de tomate	4

Faites chauffer le grille-panini à la puissance maximale.

1. Mélangez dans un cul-de-poule l'ail, le sel et le poivre au citron; frottez les biftecks de ces épices. Déposez les biftecks sur la plaque inférieure du gril, abaissez la plaque supérieure et faites-les griller pendant 8 à 10 minutes ou jusqu'à ce qu'ils soient à point ou selon le degré de cuisson voulu. Déposez-les ensuite sur une planche à découper, taillez-les en fines tranches et conservez-les au chaud. Nettoyez soigneusement les plaques du gril.

2. Posez les ciabattas sur leur mie sur un plan de travail et badigeonnez la croûte d'huile d'olive. Tournez les pains et tartinez-les de mayonnaise. Garnissez les moitiés inférieures de tranches de bifteck, de fromage, de basilic et de tomate. Coiffez-les de leur moitié supérieure et appuyez doucement dessus afin de les comprimer.

3. Posez les sandwiches sur le gril, abaissez la plaque supérieure et laissez-les dorer pendant 3 à 4 minutes. Servez sans tarder.

Conseils : Lorsque vous faites cuire du bœuf, servez-vous d'un thermomètre à viande afin de vérifier le degré de cuisson. On en trouve souvent au rayon des ustensiles des supermarchés. Afin d'alléger ce sandwich, employez de la mozzarella partiellement écrémée.

93

Panini aux boulettes de viande tranchées **2 portions**

Les sous-marins aux boulettes de viande sont un délice, mais on a parfois du mal à les manger sans se salir. J'ai donc tranché les boulettes de viande afin de préparer un sandwich d'égale épaisseur qui se mange sans risque. Le mélange de fromages qui fondent à merveille, la mozzarella et le provolone, ajoute saveur et texture à ce sandwich.

Ingrédients

25 ml	huile d'olive	2 c. à soupe
8	boulettes de viande cuites taillées en 3 ou 4 tranches (2,5 cm ou 1 po)	8
250 ml	sauce marinara	1 tasse
2	pains à sous-marin taillés en deux	2
60 g	provolone en fines tranches	2 oz
50 ml	basilic frais finement ciselé	¼ tasse
50 ml	mozzarella râpée	¼ tasse
25 ml	parmesan frais râpé	2 c. à soupe

Faites chauffer le grille-panini à la puissance maximale.

1. Faites chauffer 10 ml (2 c. à thé) d'huile d'olive dans une poêle à frire à feu moyen. Ajoutez les tranches de boulettes de viande et faites-les cuire en les tournant à une reprise jusqu'à ce qu'elles soient dorées des deux côtés, soit pendant 4 à 5 minutes. Ajoutez la sauce marinara, ramenez le feu à la température minimale et laissez mijoter jusqu'à ce que la viande soit bien chaude, soit pendant 8 à 10 minutes. Retirez-les du feu et conservez-les au chaud.

2. Posez les pains à sous-marin sur la mie sur un plan de travail et badigeonnez la croûte avec l'huile d'olive qui reste. Tournez les pains et garnissez leurs moitiés inférieures de provolone, de tranches de boulettes de viande et de sauce marinara. Saupoudrez ensuite le basilic ciselé, la mozzarella et le parmesan râpés. Coiffez-les de leur moitié supérieure et appuyez doucement dessus afin de les comprimer.

3. Posez les sandwiches sur le gril, abaissez la plaque supérieure et laissez-les dorer pendant 3 à 4 minutes. Servez sans tarder.

Conseils : À défaut de préparer vous-même les boulettes de viande, vous en trouverez au rayon des surgelés du supermarché. Je taille les feuilles de basilic en chiffonnade, c'est-à-dire que je les superpose avant de les rouler étroitement et de les tailler en fins rubans.

Panini au bœuf et au brie **2 portions**

J'adore cette recette qui allie du rôti de bœuf maigre et du brie fondant, mon fromage préféré. Le mariage est très réussi entre la mayonnaise au raifort et la moutarde de Dijon. Selon moi, il n'y a guère moyen de confectionner un meilleur sandwich que celui-ci.

Ingrédients

1	gousse d'ail émincée	1
25 ml	beurre amolli	2 c. à soupe
5 ml	origan frais haché	1 c. à thé
5 ml	persil frais haché	1 c. à thé
4	tranches de pain au levain	4
	(1 cm ou ½ po d'épaisseur)	
15 ml	mayonnaise au raifort	1 c. à soupe
	(reportez-vous à la page 178 pour la recette)	
15 ml	moutarde de Dijon	1 c. à soupe
60 g	rôti de bœuf en fines tranches	2 oz
60 g	brie sans sa croûte, en fines tranches	2 oz

Faites chauffer le grille-panini à la puissance maximale.

1. Mélangez dans un cul-de-poule l'ail, le beurre, l'origan et le persil.

2. Tartinez de préparation au beurre un côté de chaque tranche de pain. Posez-les du côté beurré sur un plan de travail et tartinez de mayonnaise les moitiés inférieures. Tartinez de moutarde les moitiés supérieures. Garnissez les moitiés inférieures de rôti de bœuf et de brie. Coiffez-les des moitiés supérieures et appuyez doucement dessus afin de les comprimer.

3. Posez les sandwiches sur le gril, abaissez la plaque supérieure de sorte qu'elle effleure à peine le pain et laissez-les dorer pendant 3 à 4 minutes. Servez sans tarder.

Conseils : Au comptoir de charcuteries de mon supermarché, on propose du rôti de bœuf cuit saignant. Quel régal, en particulier pour cette recette !

Panini au rôti de bœuf, au cheddar et à l'oignon rouge 2 portions

Les oignons grillés mettent très bien en valeur le goût du bœuf. En cours de cuisson, les sucres naturels de l'oignon caramélisent, ce qui leur confère leur saveur caractéristique. Ici, je me sers de mon grille-panini pour faire cuire les oignons. Pendant la saison estivale, je grille plusieurs oignons à la fois sur le barbecue afin d'en avoir sous la main pendant plusieurs jours.

Ingrédients

½	petit oignon rouge en fines tranches	½
25 ml	huile d'olive	2 c. à soupe
pincée	sel	pincée
pincée	poivre noir frais moulu	pincée
2	ciabattas taillées en deux	2
25 ml	crème de raifort	2 c. à soupe
	(reportez-vous à la page 182 pour la recette)	
60 g	rôti de bœuf en fines tranches	2 oz
60 g	cheddar en tranches	2 oz

Faites chauffer le grille-panini à la puissance maximale.

1. Badigeonnez les tranches d'oignon avec 10 ml (2 c. à thé) d'huile d'olive. Salez et poivrez. Déposez-les sur la plaque inférieure du gril, abaissez la plaque supérieure et faites-les griller jusqu'à ce qu'elles soient légèrement carbonisées, soit pendant 2 à 3 minutes. Déposez-les dans une assiette et conservez-les au chaud. Nettoyez soigneusement les plaques du gril.

2. Posez les ciabattas sur leur mie sur un plan de travail et badigeonnez la croûte avec l'huile qui reste. Tournez-les et tartinez-les de crème de raifort. Garnissez les moitiés inférieures de rôti de bœuf, de fromage et d'oignons grillés. Coiffez-les de leur moitié supérieure et appuyez doucement dessus afin de les comprimer.

3. Posez les sandwiches sur le gril, abaissez la plaque supérieure et laissez-les dorer pendant 3 à 4 minutes. Servez sans tarder.

Conseils : Les crèmes de raifort du commerce peuvent très bien remplacer la sauce maison, bien qu'il faille renoncer à un peu de fraîcheur au profit de la commodité. Les ciabattas font une excellente base à la plupart des recettes de panini, et à celle-ci en particulier, mais la variété est le maître mot en matière de sandwich. Employez donc le pain qui vous fait envie en ce moment.

Panini au rôti de bœuf et à l'avocat parfumés au chipotle **2 portions**

La mayonnaise au chipotle, le bœuf, le fromage Monterey Jack, la sauce aux piments et l'avocat font un bouquet de saveurs idéal. Assurez-vous que les avocats soient mûris à point.

Ingrédients

2	pains bolillos taillés en deux	2
	(reportez-vous au conseil à la page 70)	
15 ml	huile d'olive	1 c. à soupe
25 ml	mayonnaise au chipotle	2 c. à soupe
	(reportez-vous à la page 177 pour la recette)	
90 g	rôti de bœuf en fines tranches	3 oz
60 g	fromage Monterey Jack en tranches	2 oz
1	petit avocat en fines tranches	1
2 ml	sauce aux piments (ou au goût)	½ c. à thé

Faites chauffer le grille-panini à la puissance maximale.

1. Posez les pains sur leur mie sur un plan de travail et badigeonnez la croûte d'huile d'olive. Tournez-les et tartinez-les de mayonnaise. Garnissez les moitiés inférieures de rôti de bœuf, de fromage et d'avocat. Humectez le tout de sauce aux piments. Coiffez les pains de leur moitié supérieure et appuyez doucement dessus afin de les comprimer.

2. Posez les sandwiches sur le gril, abaissez la plaque supérieure et laissez-les dorer pendant 3 à 4 minutes. Servez sans tarder.

Conseils : Il n'est pas facile de choisir un avocat à point car ce fruit, lorsqu'il est mûr, le devient trop rapidement. Il vaut mieux choisir un avocat légèrement vert et le laisser mûrir sur le comptoir de la cuisine, un peu comme on le fait avec les bananes. Choisissez des avocats vert foncé, lourds et fermes. Ils sont mûrs lorsqu'ils cèdent à une légère pression du pouce. Vous pouvez en outre les réduire en purée et les tartiner.

Panini au bœuf et feta **2 portions**

Des poivrons rouges grillés, de la feta et de la vinaigrette au tahini apportent une note grecque à ce sandwich. J'ai employé une fougasse car la densité de sa mie me plaît, mais on peut se servir d'autres variétés de pains plats ou de pita.

Ingrédients

2	fougasses de 10 cm (4 po) taillées en deux à l'horizontale	2
15 ml	d'huile d'olive	1 c. à soupe
60 g	rôti de bœuf en fines tranches	2 oz
75 ml	poivrons rouges grillés en fines tranches	⅓ tasse
125 ml	jeunes pousses d'épinards	½ tasse
50 ml	feta émiettée	¼ tasse
50 ml	vinaigrette au tahini (reportez-vous à la page 172 pour la recette)	¼ tasse
pincée	poivre noir frais moulu	pincée

Faites chauffer le grille-panini à la puissance maximale.

1. Posez les fougasses sur la mie sur un plan de travail et badigeonnez la croûte d'huile d'olive. Tournez-les et garnissez les moitiés inférieures de rôti de bœuf, de poivrons grillés, d'épinards et de feta émiettée. Versez sur le tout un filet de vinaigrette. Poivrez. Coiffez-les de leur moitié supérieure et appuyez doucement afin de les comprimer.

2. Posez les sandwiches sur le gril, abaissez la plaque supérieure et laissez-les dorer pendant 3 à 4 minutes. Servez sans tarder.

Conseil : Le rôti de bœuf préparé dans les charcuteries hébraïques est pauvre en matières grasses et en calories, mais il procure des tonnes d'énergie avant une séance d'exercice physique.

Panini au bœuf et à la sauce à pizza 2 portions

Ça ne manque jamais : chaque fois qu'un sandwich fait appel à des ingrédients qui entrent dans la composition d'une pizza, il remporte un franc succès.

Ingrédients

2	pains italiens taillés en deux	2
15 ml	huile d'olive	1 c. à soupe
150 ml	sauce marinara ou à pizza	⅔ tasse
60 g	rôti de bœuf en fines tranches	2 oz
125 ml	mozzarella râpée	½ tasse
50 ml	olives noires égouttées, en tranches	¼ tasse
50 ml	olives vertes égouttées, en tranches	¼ tasse
10 ml	basilic séché	2 c. à thé

Faites chauffer le grille-panini à la puissance maximale.

1. Posez les pains sur la mie sur un plan de travail et badigeonnez la croûte d'huile d'olive. Tournez-les et tartinez-les de sauce marinara. Garnissez les moitiés inférieures de rôti de bœuf, de fromage, d'olives noires et vertes et de basilic. Coiffez-les de leur moitié supérieure et appuyez doucement dessus afin de les comprimer.

2. Posez les sandwiches sur le gril, abaissez la plaque supérieure et laissez-les dorer pendant 3 à 4 minutes. Servez sans tarder.

Conseil : Oubliez les olives si vous ne les aimez pas.

Panini au bifteck de flanc, au bacon et à la tomate <small>2 portions</small>

Ma salade préférée se compose de laitue iceberg, de tomates, de bleu et de bacon sur lesquels je saupoudre du poivre noir frais moulu. J'y ai ajouté du bifteck grillé et j'en ai fait un sandwich !

Ingrédients

4	tranches de pain au levain (2,5 cm ou 1 po d'épaisseur)	4
15 ml	huile d'olive	1 c. à soupe
25 ml	mayonnaise au bleu du commerce (ou reportez-vous à la page 178 pour la recette)	2 c. à soupe
250 g	bifteck de flanc grillé, en fines tranches	8 oz
125 ml	laitue iceberg découpée en lanières	½ tasse
6	tranches de bacon croustillantes	6
4	fines tranches de tomate	4
pincée	poivre noir frais moulu	pincée

Faites chauffer le grille-panini à la puissance maximale.

1. Badigeonnez d'huile d'olive un côté de chaque tranche de pain. Posez-les du côté huilé sur un plan de travail et garnissez-les de mayonnaise. Garnissez les moitiés inférieures de bifteck, de laitue, de bacon et de tomate. Poivrez le tout. Coiffez-les des deux autres tranches de pain et appuyez doucement dessus afin de les comprimer.

2. Posez les sandwiches sur le gril, abaissez la plaque supérieure et laissez-les dorer pendant 3 à 4 minutes. Servez sans tarder.

Conseils : Lorsque vous allumez le barbecue au cours du week-end, faites griller davantage de viande pour en faire des paninis comme celui-ci les jours de semaine. Le bœuf grillé se conserve très bien pendant quelques jours. Le bifteck de flanc est une partie très maigre du bœuf qu'il est préférable de cuire en tablant sur l'humidité et la chaleur. Toutefois, si vous le faites cuire sur le gril ou sous la salamandre, faites-le mariner au réfrigérateur pendant au moins 6 heures afin de l'attendrir.

paninis au porc

Panini à la cubaine 2 portions

Il existe plusieurs variantes du sandwich à la cubaine, mais celle-ci, faite de porc succulent, de moutarde forte, de fromage délicat et de cornichon à l'aneth, est ma préférée.

Ingrédients

2	baguettes de 15 cm (6 po) ou pains à sous-marin taillés en deux	2
15 ml	huile d'olive	1 c. à soupe
15 ml	moutarde forte	1 c. à soupe
60 g	rôti de porc en fines tranches	2 oz
60 g	jambon fumé en fines tranches	2 oz
60 g	gruyère ou fromage suisse en fines tranches	2 oz
1	gros cornichon à l'aneth taillé en fines tranches sur le sens de la longueur	1

Faites chauffer le grille-panini à la puissance maximale.

1. Posez les baguettes sur la mie sur un plan de travail et badigeonnez la croûte d'huile d'olive. Tournez-les et tartinez-les de moutarde forte. Garnissez les moitiés inférieures de rôti de porc, de jambon fumé, de fromage et de tranches de cornichon. Coiffez-les de leur moitié supérieure et appuyez doucement dessus afin de les comprimer.

2. Posez les sandwiches sur le gril, abaissez la plaque supérieure et laissez-les dorer pendant 3 à 4 minutes. Servez sans tarder.

Conseils : Le gruyère a une saveur riche et douce qui rappelle les noisettes et qui est fort appréciée à l'heure du casse-croûte ou de la préparation de plats chauds. Un sandwich à la cubaine comprend un éventail d'ingrédients, à savoir du porc, du fromage, des cornichons marinés, de la moutarde et du pain cubain. Ce sandwich est originaire de Cuba mais il est passé par les États-Unis avec la migration de Cubains venus s'installer à Miami et à Tampa.

Panini au jambon et au gruyère 2 portions

Le jambon et le fromage font une paire gagnante en sandwich, mais attendez d'y goûter lorsque vous les aurez passés au grille-panini. Le bacon bien croustillant rehausse davantage la saveur de l'ensemble.

Ingrédients

4	tranches de pain de seigle (1 cm ou ½ po d'épaisseur)	4
15 ml	beurre fondu	1 c. à soupe
15 ml	moutarde de Dijon	1 c. à soupe
60 g	gruyère en fines tranches	2 oz
60 g	jambon fumé en fines tranches	2 oz
4	tranches de bacon épaisses, croustillantes	4
4	fines tranches de tomate	4
pincée	sel	pincée
pincée	poivre noir frais moulu	pincée

Faites chauffer le grille-panini à la puissance maximale.

1. Badigeonnez de beurre fondu un côté de chaque tranche de pain. Posez-les du côté beurré sur un plan de travail et tartinez-les de moutarde. Garnissez les moitiés inférieures de gruyère, de jambon, de bacon et de tomate. Salez et poivrez. Coiffez-les des deux autres tranches de pain et appuyez doucement dessus afin de les comprimer.

2. Posez les sandwiches sur le gril, abaissez la plaque supérieure et laissez-les dorer pendant 3 à 4 minutes. Servez sans tarder.

Conseil : On emploie les graines de moutarde à des fins culinaires depuis l'époque préhistorique. Il en est aussi question dans la Bible.

Variante : Remplacez le pain de seigle par un pain de blé complet ou un pain à mie blanche.

Panini au bacon canadien, à la tomate et au parmesan **2 portions**

L'appellation « bacon canadien » est quelque peu trompeuse, car cette viande fumée maigre ressemble davantage au jambon qu'au lard. Le passage sur le gril apporte au sandwich une saveur légèrement caramélisée.

Ingrédients

4	tranches de bacon canadien (de dos)	4
4	tranches de pain italien (1 cm ou ½ po d'épaisseur)	4
15 ml	huile d'olive	1 c. à soupe
4	fines tranches de tomate	4
125 ml	roquette	½ tasse
25 ml	vinaigrette simplissime (reportez-vous à la page 172 pour la recette)	2 c. à soupe
50 ml	copeaux de parmesan	¼ tasse

Faites chauffer le grille-panini à la puissance maximale.

1. Déposez les tranches de bacon sur la plaque inférieure du gril, abaissez la plaque supérieure et faites-les cuire jusqu'à ce qu'elles soient croustillantes, soit pendant 1 à 2 minutes. Retirez-les du gril et réservez. Nettoyez soigneusement les plaques du gril.

2. Badigeonnez d'huile d'olive un côté de chaque tranche de pain. Posez deux tranches du côté huilé sur un plan de travail et garnissez-les de bacon, de tomate et de roquette. Nappez le tout d'un filet de vinaigrette et garnissez de copeaux de parmesan. Coiffez-les de leur moitié supérieure, le côté huilé à l'extérieur, et appuyez doucement dessus afin de les comprimer.

3. Posez les sandwiches sur le gril, abaissez la plaque supérieure et laissez-les dorer pendant 3 à 4 minutes. Servez sans tarder.

Conseils : Le bacon canadien coûte plus cher que le bacon ordinaire, mais il est plus maigre et précuit, ce qui signifie qu'il fond moins à la cuisson. À la saison des tomates, tirez profit des nombreuses variétés que proposent les maraîchers. Garnissez ce sandwich de différentes sortes de verdures, notamment les épinards, la laitue romaine, la laitue grasse ou la laitue frisée. Employez votre vinaigrette préférée ou celle qui se trouve au réfrigérateur.

Panini au prosciutto et aux deux fromages 2 portions

Ce sandwich haut de gamme allie du jambon de Parme et un duo de fromages.

Ingrédients

4	tranches de pain au levain (1 cm ou ½ po d'épaisseur)	4
15 ml	huile d'olive	1 c. à soupe
60 g	jambon de Parme en fines tranches	2 oz
60 g	fromage gouda en fines tranches	2 oz
60 g	mozzarella en fines tranches	2 oz

Faites chauffer le grille-panini à la puissance maximale.

1. Badigeonnez d'huile d'olive un côté de chaque tranche de pain. Posez deux tranches de pain du côté huilé sur un plan de travail et garnissez-les de prosciutto, de gouda et de mozzarella. Coiffez-les des deux autres tranches, le côté huilé à l'extérieur, et appuyez doucement dessus afin de les comprimer.

2. Posez les sandwiches sur le gril, abaissez la plaque supérieure et laissez-les dorer pendant 3 à 4 minutes. Servez sans tarder.

Conseil : Le prosciutto est un jambon vieilli, salé à sec et quelque peu épicé que l'on vend d'ordinaire en fines tranches. Il est préférable de le manger en entrée, cru avec des figues ou du melon. Une cuisson prolongée le rend coriace.

Panini au cheddar, au jambon et aux pommes

2 portions en guise d'entrée

La saveur douce et épicée du chutney à la mangue apporte une note de distinction au jambon, au cheddar et aux pommes.

Ingrédients

2	ciabattas taillées en deux	2
15 ml	beurre fondu	1 c. à soupe
50 ml	chutney à la mangue	¼ tasse
60 g	jambon cuit en fines tranches	2 oz
60 g	cheddar en fines tranches	2 oz
½	pomme Granny Smith en fines tranches	½

Faites chauffer le grille-panini à la puissance maximale.

1. Posez les ciabattas sur leur mie sur un plan de travail et badigeonnez la croûte de beurre fondu. Tournez-les et tartinez-les de chutney. Garnissez les moitiés inférieures de jambon, de fromage et de pomme. Coiffez-les des moitiés supérieures et appuyez doucement dessus afin de les comprimer.

2. Posez les sandwiches sur le gril, abaissez la plaque supérieure et laissez-les dorer pendant 3 à 4 minutes. Servez sans tarder.

Conseils : Le chutney est un condiment à la fois sucré et épicé qui contient des fruits, du vinaigre, du sucre et des épices. Les fruits peuvent être présentés en morceaux ou passés au presse-purée; et le dosage des épices se fait selon le goût de chacun.

Panini au prosciutto, au provolone et aux asperges **2 portions**

La délicatesse du prosciutto et des asperges fait un sandwich très classe lorsque l'on reçoit des invités.

Ingrédients

8	pointes d'asperges	8
4	tranches de pain pumpernickel (2,5 cm ou 1 po d'épaisseur)	4
15 ml	beurre fondu	1 c. à soupe
25 ml	mayonnaise au basilic (reportez-vous à la page 174 pour la recette)	2 c. à soupe
60 g	prosciutto en fines tranches	2 oz
60 g	provolone en fines tranches	2 oz
4	fines tranches de tomate	4
pincée	sel	pincée
pincée	poivre noir frais moulu	pincée

Faites chauffer le grille-panini à la puissance maximale.

1. Brisez les extrémités dures de la tige des asperges. Plongez les pointes d'asperges dans une marmite d'eau bouillante et faites-les cuire jusqu'à ce qu'elles soient mi-tendres et mi-craquantes, soit pendant 3 minutes environ. Égouttez-les et plongez-les dans un bac d'eau froide afin de freiner leur cuisson; égouttez-les de nouveau et réservez.

2. Badigeonnez de beurre fondu un côté de chaque tranche de pain. Posez-les du côté beurré sur un plan de travail et tartinez-les de mayonnaise. Garnissez les moitiés inférieures d'asperges, de prosciutto, de fromage et de tomate. Salez et poivrez. Coiffez-les des deux autres tranches de pain et appuyez doucement dessus afin de les comprimer.

3. Posez les sandwiches sur le gril, abaissez la plaque supérieure et laissez-les dorer pendant 3 à 4 minutes. Servez sans tarder.

Conseils : Prenez garde lorsque vous faites cuire des asperges : à trop les cuire, elles seront amollies et n'auront plus la texture voulue aux fins de cette recette. Au déjeuner, servez ce sandwich accompagné de croustilles de bagels et d'eau gazéifiée parfumée d'un trait de jus d'orange frais.

Panini à la fontina et à la capicola 2 portions

Bien que la capicola soit un peu plus chère que la plupart des salamis, elle fait ici une alliée de taille à la fontina et à la roquette.

Ingrédients

2	ciabattas taillées en deux	2	
15 ml	huile d'olive	1 c. à soupe	
60 g	capicola en fines tranches	2 oz	
60 g	fontina en fines tranches	2 oz	
125 ml	roquette	½ tasse	

Faites chauffer le grille-panini à la puissance maximale.

1. Posez les ciabattas sur leur mie sur un plan de travail et badigeonnez la croûte d'huile d'olive. Tournez-les et garnissez les moitiés inférieures de capicola, de fontina et de roquette. Coiffez-les de leur moitié supérieure et appuyez doucement dessus afin de les comprimer.

2. Posez les sandwiches sur le gril, abaissez la plaque supérieure et laissez-les dorer pendant 3 à 4 minutes. Servez sans tarder.

Conseils : La capicola est une charcuterie italienne préparée à partir d'une épaule de porc salée à sec. En plus de faire une garniture à sandwich, on la sert en antipasto ou en garniture à pizza. La fontina a une saveur douce qui rappelle les noisettes et fond facilement, ce qui en fait le fromage tout indiqué pour ce genre de recette.

Panini à la Monte-Cristo **2 portions**

Un Monte-Cristo classique est fait de gruyère et de jambon maigre entre deux tranches de pain que l'on trempe dans un œuf avant de le mettre à frire dans du beurre clarifié. La recette a vu le jour en 1910 dans un café parisien. Je m'en suis inspirée, l'ai remaniée à ma façon et lui ai donné une saveur particulière, rehaussée d'un soupçon de cannelle.

Ingrédients

4	tranches de baguette (1 cm ou ½ po d'épaisseur)	4
15 ml	beurre fondu	1 c. à soupe
15 ml	moutarde	1 c. à soupe
60 g	gruyère en fines tranches	2 oz
60 g	jambon fumé en fines tranches	2 oz
1	œuf	1
15 ml	lait	1 c. à soupe
5 ml	sucre glace	1 c. à thé
1 ml	cannelle moulue	¼ c. à thé

Faites chauffer le grille-panini à la puissance maximale.

1. Badigeonnez de beurre fondu un côté de chaque tranche de pain. Posez-les du côté beurré sur un plan de travail et tartinez-les de moutarde. Garnissez les moitiés inférieures de jambon et de fromage. Coiffez-les des deux autres tranches de pain et appuyez doucement dessus afin de les comprimer.

2. Fouettez l'œuf et le lait dans une assiette à tarte. Trempez le sandwich des deux côtés dans cette préparation.

3. Mélangez dans un petit cul-de-poule le sucre et la cannelle, et réservez.

4. Posez les sandwiches sur le gril, abaissez la plaque supérieure et laissez-les dorer pendant 3 à 4 minutes. Saupoudrez chaque panini de cannelle et de sucre. Servez sans tarder.

Conseils : Laissez tomber la cannelle si vous ne l'appréciez pas. Ce sandwich est délicieux simplement avec un peu de sucre glace ! Je sers parfois ce sandwich à la manière du pain doré avec un petit pot de sirop d'érable chaud.

Variante : Ajoutez une tranche de dinde à chaque sandwich afin de l'étoffer davantage.

Panini au bacon, aux épinards et aux œufs durs **2 portions**

Les œufs durs vous laisseront croire qu'il s'agit d'un panini à servir au petit déjeuner ou au déjeuner, mais je m'en régale quelle que soit l'heure du jour. Il contient plein de fer et de protéines !

Ingrédients

2	ciabattas taillées en deux	2
45 ml	huile d'olive	3 c. à soupe
8	tranches de bacon croustillantes	8
2	œufs durs en tranches	2
250 ml	jeunes pousses d'épinards	1 tasse
125 ml	oignon rouge en tranches	½ tasse
125 ml	feta émiettée	½ tasse
25 ml	vinaigre balsamique	2 c. à soupe
pincée	sel	pincée
pincée	poivre noir frais moulu	pincée

Faites chauffer le grille-panini à la puissance maximale.

1. Posez les ciabattas sur leur mie sur un plan de travail et badigeonnez leur croûte de 15 ml (1 c. à soupe) d'huile d'olive. Tournez-les et garnissez les moitiés inférieures de bacon, d'œufs durs, d'épinards, d'oignon rouge et de feta. Nappez le tout d'un filet d'huile d'olive et de vinaigre balsamique avant de saler et de poivrer. Coiffez-les de leur moitié supérieure et appuyez doucement dessus afin de les comprimer.

2. Posez les sandwichs sur le gril, abaissez la plaque supérieure et faites-les dorer pendant 3 à 4 minutes. Servez sans tarder.

Conseil : Des fruits frais et du yogourt compléteront ce repas, en particulier s'il s'agit du premier de la journée.

Variantes : Afin d'alléger ce sandwich, employez 4 tranches de bacon canadien (de dos). Remplacez les ciabattas par des muffins anglais ou du pain au levain.

Panini au bacon, au bleu et à l'oignon doux 2 portions

J'adore l'association entre le bacon croustillant et la saveur relevée, puissante, du fromage bleu. Choisissez un oignon parmi les plus doux afin de préparer ce panini qui vous fera chaud au cœur.

Ingrédients

45 ml	huile d'olive	3 c. à soupe
2	tranches d'oignon doux, en rondelles	2
pincée	sel	pincée
pincée	poivre noir frais moulu	pincée
4	tranches de pain au levain	4
	(1 cm ou ½ po d'épaisseur)	
6	tranches de bacon épaisses, croustillantes	6
50 ml	fromage bleu émietté	¼ tasse

Faites chauffer le grille-panini à la puissance maximale.

1. Faites chauffer 15 ml (1 c. à soupe) d'huile d'olive dans une poêle à frire à feu moyen-vif. Ajoutez l'oignon et faites-le sauter jusqu'à ce qu'il fonde, soit pendant 7 à 9 minutes. Salez et poivrez.

2. Badigeonnez d'huile d'olive un côté de chaque tranche de pain. Posez deux tranches du côté huilé sur un plan de travail et garnissez-les d'oignon, de bacon et de bleu. Coiffez-les des deux autres tranches de pain, le côté huilé à l'extérieur, et appuyez doucement dessus afin de les comprimer.

3. Posez les sandwiches sur le gril, abaissez la plaque supérieure et faites-les dorer pendant 3 à 4 minutes. Servez sans tarder.

Conseil : Vous pouvez ajouter plus d'oignon ou en mettre moins, selon ce que vous préférez. Faites à votre goût en assemblant votre propre version de ce panini.

paninis garnis de charcuteries

Panini au salami et au gouda 2 portions

La saveur de noisette du gouda se marie bien, lorsqu'il est fondant, au goût de la tomate, de la roquette et du salami en fines tranches. Servez ce sandwich avec un verre de vin rouge.

Ingrédients

2	ciabattas taillées en deux	2	
15 ml	huile d'olive	1 c. à soupe	
60 g	gouda en fines tranches	2 oz	
60 g	salami en fines tranches	2 oz	
4	fines tranches de tomate	4	
125 ml	roquette	½ tasse	
pincée	sel	pincée	
pincée	poivre noir frais moulu	pincée	

Faites chauffer le grille-panini à la puissance maximale.

1. Posez les ciabattas sur leur mie sur un plan de travail et badigeonnez leur croûte d'huile d'olive. Tournez-les et garnissez les moitiés inférieures de gouda, de salami, de tomate et de roquette. Coiffez-les de leur moitié supérieure et appuyez doucement dessus afin de les comprimer.

2. Posez les sandwiches sur le gril, abaissez la plaque supérieure et faites-les dorer pendant 3 à 4 minutes. Servez sans tarder.

Conseils : Faites alterner les rangs de gouda et de salami afin de mieux marier les saveurs. J'aime bien verser un filet de vinaigre balsamique de premier choix sur presque tout, en particulier sur un sandwich tel que celui-ci. Versez-en quelques gouttes sur les garnitures avant de coiffer le panini de sa seconde tranche de pain.

Sandwich club classique **2 portions**

Ce club sandwich classique regorge de saveur, même s'il est comprimé sous la forme d'un panini.

Ingrédients

4	tranches de pain blanc, genre campagnard (1 cm ou ½ po d'épaisseur)	4
15 ml	beurre fondu	1 c. à soupe
15 ml	mayonnaise	1 c. à soupe
60 g	dinde fumée en fines tranches	2 oz
60 g	jambon fumé en fines tranches	2 oz
30 g	gruyère en fines tranches	1 oz
30 g	cheddar en fines tranches	1 oz
4	tranches de bacon croustillantes	4
4	fines tranches de tomate	4
125 ml	laitue iceberg découpée en lanières	½ tasse
pincée	poivre noir frais moulu	pincée
pincée	origan séché	pincée

Faites chauffer le grille-panini à la puissance maximale.

1. Badigeonnez de beurre fondu un côté de chaque tranche de pain. Posez-les du côté beurré sur un plan de travail et tartinez-les de mayonnaise. Garnissez les moitiés inférieures de dinde, de jambon, de gruyère, de cheddar, de bacon, de tomate et de laitue. Saupoudrez le poivre noir et l'origan séché. Coiffez-les des deux autres tranches de pain, le côté beurré à l'extérieur, et appuyez doucement dessus afin de les comprimer.

2. Posez les sandwiches sur le gril, abaissez la plaque supérieure et faites-les dorer pendant 3 à 4 minutes. Servez sans tarder.

Conseil : Usez de précaution lorsque vous abaisserez la plaque supérieure du gril, car ce sandwich contient beaucoup d'ingrédients.

Variante : Bien que le pain blanc entre d'ordinaire dans la préparation d'un club sandwich, vous pouvez le remplacer par du pain de blé complet et profiter ainsi de ses éléments nutritifs plus nombreux.

Panini au salami, au prosciutto et au poivron grillé

2 portions

Voici un sandwich raffiné et pourtant simple à préparer. Demandez à votre boucher de tailler le prosciutto et le salami aussi finement qu'une feuille de papier.

Ingrédients

2	pains italiens taillés en deux	2
15 ml	huile d'olive	1 c. à soupe
60 g	salami tranché très fin	2 oz
60 g	prosciutto tranché très fin	2 oz
60 g	mozzarella en fines tranches	2 oz
75 ml	poivron rouge grillé, en tranches	⅓ tasse

Faites chauffer le grille-panini à la puissance maximale.

1. Posez les pains sur leur mie sur un plan de travail et badigeonnez leur croûte d'huile d'olive. Tournez-les et garnissez les moitiés inférieures de salami, de prosciutto, de mozzarella et de poivron rouge. Coiffez-les de leur moitié supérieure et appuyez doucement dessus afin de les comprimer.

2. Posez les sandwiches sur le gril, abaissez la plaque supérieure et faites-les dorer pendant 3 à 4 minutes. Servez sans tarder.

Conseils : Si vous n'avez pas envie de faire griller un poivron rouge, on en trouve en conserve au supermarché. Faites-le égoutter et épongez-le à l'aide d'un essuie-tout avant de le tailler et d'en mesurer la quantité.

Panini au saucisson de Bologne frit, au fromage américain et à la roquette **2 portions**

Fillette, j'adorais les sandwiches au saucisson de Bologne frit faits avec du pain blanc et garnis de sauce à salade Miracle Whip. Cette époque est révolue; à présent, j'apprécie cette version pour adulte du sandwich au saucisson de Bologne.

Ingrédients

2	tranches de saucisson de Bologne (0,5 cm ou ¼ po d'épaisseur chacune)	2
4	tranches de pain au levain (1 cm ou ½ po d'épaisseur)	4
15 ml	beurre fondu	1 c. à soupe
15 ml	moutarde forte	1 c. à soupe
60 g	fromage américain blanc en fines tranches	2 oz
125 ml	roquette	½ tasse

Faites chauffer le grille-panini à la puissance maximale.

1. Déposez les tranches de saucisson de Bologne sur la plaque inférieure du gril, abaissez la plaque supérieure et faites-les dorer pendant 1 à 2 minutes. Retirez-les du gril et conservez-les au chaud. Nettoyez soigneusement les plaques du gril.

2. Badigeonnez de beurre fondu un côté de chaque tranche de pain. Posez chaque tranche du côté beurré sur un plan de travail. Garnissez deux tranches de saucisson de Bologne, de fromage et de roquette. Couvrez à l'aide des deux autres tranches et appuyez doucement dessus de manière à les comprimer.

3. Posez les sandwiches sur le gril, abaissez la plaque supérieure et laissez-les dorer pendant 3 à 4 minutes. Servez sans tarder.

Conseil : Un grille-panini est l'ustensile rêvé pour faire griller le saucisson de Bologne car la plaque supérieure empêche les tranches d'onduler.

Variante : Le fromage américain blanc est tout indiqué pour cette recette, mais vous pourriez le remplacer par du cheddar.

Panini au jambon, à la dinde, à l'avocat et à la luzerne 2 portions

Je dois l'inspiration de cette recette à ma chère amie et collègue Itza Gutierrez qui adore le mélange des saveurs de l'avocat et de la luzerne. Ajoutez à cela du gruyère fondu et vous obtenez un sandwich remarquable.

Ingrédients

4	tranches de pain au levain (1 cm ou ½ po d'épaisseur)	4
15 ml	beurre fondu	1 c. à soupe
15 ml	moutarde épicée	1 c. à soupe
60 g	gruyère en fines tranches	2 oz
30 g	jambon cuit en fines tranches	1 oz
30 g	dinde cuite en fines tranches	1 oz
1	petit avocat en fines tranches	1
125 ml	germes de luzerne	½ tasse
pincée	sel	pincée
pincée	poivre noir frais moulu	pincée

Faites chauffer le grille-panini à la puissance maximale.

1. Badigeonnez de beurre fondu un côté de chaque tranche de pain. Posez deux tranches du côté beurré sur un plan de travail et tartinez-les de moutarde. Garnissez-les de fromage, de jambon, de dinde, d'avocat et de luzerne. Salez et poivrez. Coiffez-les des deux autres tranches de pain, le côté beurré à l'extérieur, et appuyez doucement dessus afin de les comprimer.

2. Posez les sandwiches sur le gril, abaissez la plaque supérieure et faites-les dorer pendant 3 à 4 minutes. Servez sans tarder.

Conseil : L'avocat et les germes de luzerne composent plusieurs mets salés et rehaussent beaucoup une salade ou un sandwich tout simple.

Variante : Cette recette fera un excellent sandwich végétarien si on n'y met pas de jambon et de dinde. Ajoutez plutôt une mince tranche de tofu afin de consommer des protéines.

Panini façon muffuletta **2 portions**

La muffuletta classique, si populaire à La Nouvelle-Orléans, se caractérise par sa garniture aux olives. J'ai préféré employer la tapenade que je prépare moi-même, mais vous pourriez faire votre garniture aux olives ou employer celle du commerce.

Ingrédients

2	pains italiens taillés en deux	2
15 ml	huile d'olive	1 c. à soupe
125 ml	tapenade aux olives du commerce	½ tasse
	(ou reportez-vous à la page 181 pour la recette)	
50 ml	copeaux de parmesan	¼ tasse
60 g	capicola en fines tranches	2 oz
60 g	mozzarella en fines tranches	2 oz
60 g	mortadelle en fines tranches	2 oz
60 g	provolone en fines tranches	2 oz
pincée	basilic séché	pincée
pincée	origan séché	pincée

Faites chauffer le grille-panini à la puissance maximale.

1. Badigeonnez d'huile d'olive la mie et la croûte des pains. Posez-les sur la mie sur un plan de travail et tartinez de tapenade les moitiés inférieures. Garnissez-les ensuite, dans l'ordre suivant, de parmesan, de capicola, de mozzarella, de mortadelle et de provolone. Saupoudrez de basilic et d'origan. Coiffez-les de leur moitié supérieure et appuyez doucement dessus afin de les comprimer.

2. Posez les sandwiches sur le gril, abaissez la plaque supérieure et faites-les dorer pendant 3 à 4 minutes. Servez sans tarder.

Variante : En principe, on fait la muffuletta avec du pain italien, mais une fougasse fait aussi bien l'affaire.

Panini au jambon et au poulet épicés 2 portions

Dans cette recette, les saveurs du jambon, du poulet et des piments jalapeños sont savamment dosées par rapport au cheddar et à la sauce barbecue.

Ingrédients

2	pains bolillos taillés en deux	2
	(reportez-vous au conseil de la page 70)	
15 ml	beurre fondu	1 c. à soupe
60 g	jambon fumé en fines tranches	2 oz
125 g	poulet grillé en fines tranches	4 oz
125 ml	sauce barbecue au chipotle du commerce	½ tasse
	(ou reportez-vous à la page 182 pour la recette)	
125 ml	cheddar râpé	½ tasse
8	piments jalapeños marinés, égouttés, tranchés	8

Faites chauffer le grille-panini à la puissance maximale.

1. Posez les pains sur leur mie sur un plan de travail et badigeonnez la croûte de beurre fondu. Tournez-les et garnissez les moitiés inférieures de jambon et de poulet. Nappez-les d'un filet de sauce barbecue et garnissez-les de fromage et de piments jalapeños. Coiffez-les de leur moitié supérieure et appuyez doucement dessus afin de les comprimer.

2. Posez les sandwiches sur le gril, abaissez la plaque supérieure et faites-les dorer pendant 3 à 4 minutes. Servez sans tarder.

Variantes : Remplacez les pains bolillos par du pain au levain qui sort du fournil. Ajoutez de fines tranches d'oignon rouge aux piments jalapeños.

Croissants au salami et à la fontina 2 portions

Lorsque vous avez envie de bouffer des calories, réunissez de la fontina, du salami, de la roquette et du parmesan sur des croissants au beurre.

Ingrédients

2	croissants taillés en deux	2
60 g	fontina en fines tranches	2 oz
60 g	salami en fines tranches	2 oz
125 ml	roquette	½ tasse
125 ml	parmesan en copeaux ou râpé	½ tasse

Faites chauffer le grille-panini à la puissance maximale.

1. Posez les croissants sur leur croûte sur un plan de travail. Garnissez les moitiés inférieures de fontina, de salami, de roquette et de parmesan. Coiffez-les de leur moitié supérieure et appuyez doucement dessus afin de les comprimer.

2. Posez les sandwiches sur le gril, abaissez la plaque supérieure et faites-les dorer pendant 3 à 4 minutes. Servez sans tarder.

Conseils : J'adore le goût et la texture des copeaux de parmesan dans un panini. En outre, ils font d'excellents amuse-bouche avec un verre de zinfandel. On confectionne des croissants en étalant du beurre frais entre chaque couche de pâte feuilletée; il est donc inutile de les beurrer ou de les huiler par la suite.

Variante : Si vous songez à réduire le nombre de calories et la quantité de matières grasses, remplacez les croissants par de la baguette ou du pain italien.

Panini au saucisson d'été et au fromage au poivre 2 portions

Une bonne amie qui a passé son enfance dans le Midwest avait l'habitude de dévorer des sandwiches au saucisson d'été; nous avons donc fait chauffer les ingrédients pour en faire un panini. Le goût acidulé de la moutarde, le coup de fouet du fromage au poivre et la douceur pimentée des pepperoncinis en font un sandwich qui ne laisse pas indifférent.

Ingrédients

4	tranches de pain au levain (2,5 cm ou 1 po d'épaisseur)	4
15 ml	huile d'olive	1 c. à soupe
25 ml	moutarde forte	2 c. à soupe
90 g	saucisson d'été en fines tranches	3 oz
60 g	fromage poivré en fines tranches	2 oz
2	piments pepperoncinis marinés, égouttés, en fines tranches	2

Faites chauffer le grille-panini à la puissance maximale.

1. Badigeonnez d'huile d'olive un côté de toutes les tranches de pain. Posez-les du côté huilé sur un plan de travail et tartinez-les de moutarde. Garnissez les moitiés inférieures de saucisson, de fromage et de pepperoncinis. Coiffez-les des autres tranches de pain et appuyez doucement dessus afin de les comprimer.

2. Posez les sandwiches sur le gril, abaissez la plaque supérieure et faites-les dorer pendant 3 à 4 minutes. Servez sans tarder.

Conseils : Un saucisson d'été est, en fait, un saucisson sec qui n'a pas besoin d'être conservé au réfrigérateur.

Le Tiffany 2 portions

Je fréquente une petite pizzeria de quartier où j'ai mes habitudes. Lorsqu'on me voit y entrer et prendre place à une table, on ne me demande jamais ce que je veux commander. Pour faire ce sandwich, j'ai retenu mes garnitures à pizza préférées; il s'agit de mon panini emblématique. J'espère que vous l'apprécierez autant que moi.

Ingrédients

2	ciabattas taillées en deux	2
15 ml	huile d'olive	1 c. à soupe
125 ml	sauce à pizza ou sauce marinara	½ tasse
60 g	mozzarella en fines tranches	2 oz
30 g	pepperoni en fines tranches	1 oz
50 ml	olives kalamáta égouttées, taillées en deux	¼ tasse
50 ml	feta émiettée	¼ tasse
50 ml	piments jalapeños marinés, égouttés en fines tranches	¼ tasse

Faites chauffer le grille-panini à la puissance maximale.

1. Posez les ciabattas sur leur mie sur un plan de travail et badigeonnez leur croûte d'huile d'olive. Tournez-les et tartinez-les de sauce à pizza. Garnissez les moitiés inférieures de mozzarella, de pepperoni, d'olives, de feta et de piments jalapeños. Coiffez-les de leur moitié supérieure et appuyez doucement dessus afin de les comprimer.

2. Posez les sandwiches sur le gril, abaissez la plaque supérieure et faites-les dorer pendant 3 à 4 minutes. Servez sans tarder.

Variantes : Remplacez les piments jalapeños par des pepperoncinis marinés si vous préférez ces derniers. Il m'est arrivé de faire ce sandwich avec des olives saumurées; et le résultat fut probant.

restes

paninis confectionnés avec des restes

Panini au poulet et au bleu à la mode de Buffalo **2 portions**

Les ailes de poulet à la mode de Buffalo ont la cote partout en raison de leur saveur de feu qui ne demande qu'à être tempérée par la vinaigrette au fromage bleu. J'ai réuni ces saveurs dans ce délicieux sandwich grillé.

Ingrédients

2	ciabattas taillées en deux	2
15 ml	beurre fondu	1 c. à soupe
250 g	poitrine de poulet grillée en fines tranches	8 oz
75 ml	sauce barbecue au chipotle du commerce	⅓ tasse
	(ou reportez-vous à la page 182 pour la recette)	
125 ml	oignons caramélisés	½ tasse
	(reportez-vous à la page 184 pour la recette)	
125 ml	fromage bleu émietté	½ tasse

Faites chauffer le grille-panini à la puissance maximale.

1. Posez les ciabattas sur leur mie sur un plan de travail et badigeonnez leur croûte de beurre fondu. Tournez-les et garnissez leur moitié inférieure de poulet. Garnissez-les d'un filet de sauce barbecue, d'oignons caramélisés et de bleu. Coiffez-les de leur moitié supérieure et appuyez doucement dessus afin de les comprimer.

2. Posez les sandwiches sur le gril, abaissez la plaque supérieure et faites-les dorer pendant 3 à 4 minutes. Servez sans tarder.

Conseil : Servez la vinaigrette au fromage bleu avec des bâtonnets de céleri en guise d'amuse-bouche.

Variante : Des oignons caramélisés font des merveilles dans ce sandwich, alors que des tranches d'oignon rouge ajoutent du craquant et de la saveur.

Panini au bœuf à la grecque 2 portions

Les ingrédients que l'on trouve dans les plats traditionnels grecs entrent dans la composition de ce panini. Du bifteck grillé est entouré de pain plat que l'on garnit de tzatziki bien crémeux.

Ingrédients

125 g	restes de bifteck grillé en fines tranches (environ 6 tranches)	4 oz
½	petit oignon rouge en fines tranches	½
25 ml	vinaigrette simplissime (reportez-vous à la page 172 pour la recette)	2 c. à soupe
2	pitas de 18 cm (7 po)	2
15 ml	huile d'olive	1 c. à soupe
75 ml	tzatziki du commerce (ou reportez-vous à la page 181 pour la recette)	⅓ tasse
50 ml	feta émiettée	¼ tasse

Faites chauffer le grille-panini à la puissance maximale.

1. Mélangez dans un cul-de-poule le bifteck, l'oignon rouge et la vinaigrette et réservez.

2. Badigeonnez d'huile un côté de chaque pita. Posez un pita sur sa face huilée sur le plan de travail et garnissez-le de préparation au bœuf en prévoyant une bordure de 1 cm (½ po) tout autour. Versez un filet de tzatziki et garnissez de miettes de feta. Coiffez-le de l'autre pita, le côté huilé à l'extérieur, et appuyez doucement dessus afin de les comprimer.

3. Posez les sandwichs sur le gril, abaissez la plaque supérieure et faites-les dorer pendant 3 à 4 minutes. Servez sans tarder.

Conseils : Le tzatziki maison a ma préférence mais, si vous n'avez pas le temps d'en préparer, achetez-le au supermarché. Assaisonnez la feta avec du basilic ciselé, des dés de tomates épépinées et du poivre noir frais moulu.

Panini au poulet marinara 2 portions

Lorsque j'ai élaboré cette recette, je disposais d'un reste de poulet et de sauce marinara. J'ai donc imaginé ce délicieux panini en ajoutant un mélange de deux fromages italiens.

Ingrédients

2	fougasses de 10 cm (4 po) tranchées à l'horizontale	2
15 ml	huile d'olive	1 c. à soupe
250 ml	poulet rôti déchiqueté	1 tasse
125 ml	sauce marinara chaude	½ tasse
1	petite tomate oblongue (Roma) en fines tranches	1
½	poivron vert en fines tranches	½
125 ml	mozzarella râpée	½ tasse
50 ml	olives noires égouttées, en tranches	¼ tasse
15 ml	parmesan râpé	1 c. à soupe

Faites chauffer le grille-panini à la puissance maximale.

1. Posez les fougasses sur leur mie sur un plan de travail et badigeonnez leur croûte d'huile d'olive. Tournez-les et garnissez leur moitié inférieure de poulet, d'un filet de sauce marinara, puis de tomate, de poivron vert, de mozzarella, d'olives et de parmesan. Coiffez-les de leur moitié supérieure et appuyez doucement dessus afin de les comprimer.

2. Posez les sandwiches sur le gril, abaissez la plaque supérieure et faites-les dorer pendant 3 à 4 minutes. Servez sans tarder.

Conseil : Un reste de poulet pané fera ici très bien l'affaire et conférera une texture différente au sandwich.

Quesadilla fajita au bœuf **2 portions**

Si un jour vous passiez par San Antonio, vous devriez dîner aux restaurants de ma chère amie Dianna Barrios Trevino, *Los Barrios* et *La Hacienda De Los Barrios*, où vous trouverez la meilleure cuisine tex-mex de tout le Texas. Dianna m'a aidée à élaborer ce panini qui renferme des ingrédients qui entrent dans la composition de plusieurs de ses merveilleux plats.

Ingrédients

175 ml	bifteck taillé en dés (restes de fajitas)	¾ tasse
50 ml	sauce aux tomatillos	¼ tasse
	(reportez-vous à la page 184 pour la recette)	
25 ml	coriandre fraîche hachée	2 c. à soupe
2	tortillas de farine de 20 à 25 cm (8 à 10 po)	2
10 ml	beurre fondu	2 c. à thé
125 ml	fromage chihuahua ou Monterey Jack râpé	½ tasse
	crème aigre, guacamole et salsa	

Faites chauffer le grille-panini à la puissance maximale.

1. Mélangez dans un cul-de-poule le bifteck, la sauce aux tomatillos et la coriandre et réservez.

2. Badigeonnez de beurre fondu un côté de chaque tortilla. Posez-les du côté beurré sur un plan de travail et déposez à la cuiller la préparation au bœuf sur la moitié de chaque tortilla, en prévoyant une bordure de 1 cm (½ po) tout autour. Garnissez chacune de la moitié du fromage. Repliez les tortillas sur la garniture en appuyant doucement afin de les comprimer.

3. Posez les sandwiches sur le gril, abaissez la plaque supérieure et faites-les cuire jusqu'à ce que la garniture soit chaude et le fromage, fondant, soit pendant 3 à 4 minutes. Taillez chaque sandwich en deux et servez-les sans tarder avec de la crème aigre, du guacamole et de la salsa.

Conseils : Servez ce plat avec des haricots noirs et du riz espagnol, et garnissez l'assiette d'un quartier de limette. Vous trouverez peut-être de la sauce aux tomatillos de bonne qualité au supermarché de votre localité, si vous n'avez pas envie d'en faire vous-même. Le fromage chihuahua est fabriqué dans la région mexicaine du même nom. J'adore l'employer afin de garnir des sandwiches, des enchiladas et des plats aux œufs. Il sert en outre à la préparation de fondues et on peut le frire.

Variante : Vous pouvez remplacer le bœuf par un reste de poulet, de porc ou de crevettes.

Panini à la poitrine de bœuf 2 portions

On fait souvent cuire une poitrine de bœuf en escomptant qu'il y aura des restes à apprêter. Et quelle meilleure manière de les employer sinon en faire des paninis ?

Ingrédients

50 ml	mayonnaise	¼ tasse
25 ml	sauce barbecue du commerce	2 c. à soupe
	(ou reportez-vous à la page 182 pour la recette)	
4	tranches de pain blanc, genre campagnard	4
	(1 cm ou ½ po d'épaisseur)	
15 ml	beurre fondu	1 c. à soupe
90 g	poitrine de bœuf fumée en fines tranches	3 oz
60 g	munster en fines tranches	2 oz
125 ml	jeunes pousses d'épinards	½ tasse
4	fines tranches de tomate	4

Faites chauffer le grille-panini à la puissance maximale.

1. Mélangez dans un cul-de-poule la mayonnaise et la sauce barbecue et mettez la préparation de côté.

2. Badigeonnez de beurre fondu un côté de chaque tranche de pain. Posez chaque tranche du côté beurré sur un plan de travail et tartinez-les de préparation à base de mayonnaise. Garnissez deux tranches de poitrine de bœuf, de fromage, d'épinards et de tomate. Coiffez-les des deux autres tranches et appuyez doucement dessus de manière à les comprimer.

3. Posez les sandwiches sur le gril, abaissez la plaque supérieure et laissez-les dorer pendant 3 à 4 minutes. Servez sans tarder.

Conseils : À mon avis, la poitrine de bœuf doit être accompagnée de cornichons marinés. Servez vos marinades préférées avec ce panini. De petits pains à sandwich feraient des paninis plus denses qui combleraient mieux ceux qui ont un gros creux.

Panini à la saucisse Bratwurst du lundi matin **2 portions**

Je suis supporter des Cowboys de Dallas et l'ai été toute ma vie. En ce moment, je fréquente un fan des Packers de Green Bay, bien que ce mot ne décrive pas vraiment la dévotion qu'il porte à cette équipe. L'idée que je me fais de la fête d'avant-match (« tailgating ») s'appuie sur du brie, du crémant et de la bruschetta, mais TJ ne veut rien entendre, sinon lorsque je lui offre une saucisse Bratwurst et une bière bien fraîche. Voici donc le sandwich du lundi matin, confectionné avec les restes de la collation servie pendant le match du dimanche après-midi.

Ingrédients

2	pains à sous-marin taillés en deux	2
15 ml	beurre fondu	1 c. à soupe
50 ml	sauce barbecue au chipotle	¼ tasse
	(reportez-vous à la page 182 pour la recette)	
2	saucisses Bratwurst	2
	cuites, taillées à l'horizontale, réchauffées	
125 ml	choucroute égouttée	½ tasse

Faites chauffer le grille-panini à la puissance maximale.

1. Posez les pains sur leur mie sur un plan de travail et badigeonnez leur croûte de beurre fondu. Tournez-les et tartinez-les de sauce barbecue. Garnissez les moitiés inférieures de Bratwurst et de choucroute. Coiffez-les de leur moitié supérieure et appuyez doucement dessus afin de les comprimer.

2. Posez les sandwiches sur le gril, abaissez la plaque supérieure et faites-les dorer pendant 3 à 4 minutes. Servez sans tarder.

Variantes : Vous pouvez ajouter nombre de garnitures à ce sandwich, par exemple des oignons et des poivrons grillés, des oignons hachés, des piments jalapeños marinés, etc. Le choix se décline à l'infini. Remplacez les Bratwurst par des saucisses kolbassa ou italiennes.

Panini au bifteck et au provolone 2 portions

J'emploie du bifteck de flanc pour préparer cette recette, car sa texture et l'uniformité des morceaux se prêtent bien à la confection d'un panini. Vous choisirez la sauce barbecue en fonction du parfum que vous souhaitez ajouter au sandwich.

Ingrédients

25 ml	huile d'olive	2 c. à soupe
½	petit oignon rouge en fines tranches	½
½	petit poivron vert en fines tranches	½
2	petits pains au levain, taillés en deux	2
125 g	bifteck grillé en fines tranches (environ 6 tranches)	4 oz
125 ml	sauce barbecue du commerce (ou reportez-vous à la page 182 pour la recette)	½ tasse
125 ml	provolone râpé	½ tasse

Faites chauffer le grille-panini à la puissance maximale.

1. Faites chauffer 10 ml (2 c. à thé) d'huile d'olive dans une poêle à frire à feu moyen-vif. Ajoutez l'oignon et le poivron vert et faites-les sauter jusqu'à ce qu'ils aient fondu, soit pendant 7 à 9 minutes. Retirez-les du feu et conservez-les au chaud.

2. Posez les pains sur la mie sur un plan de travail et badigeonnez la croûte avec l'huile qui reste. Tournez-les et garnissez les moitiés inférieures de bifteck et de la préparation à base d'oignon. Garnissez le tout d'un filet de sauce barbecue et de fromage. Coiffez-les de leur moitié supérieure et appuyez doucement dessus afin de les comprimer.

3. Posez les sandwiches sur le gril, abaissez la plaque supérieure et faites-les dorer pendant 3 à 4 minutes. Servez sans tarder.

Variante : Remplacez une part de provolone par du fromage au poivre afin d'ajouter davantage de piquant à l'affaire.

Hot-dog au chili et au fromage fondant **2 portions**

J'adore les hot-dogs au chili. Lorsque j'étais enfant, ils comptaient parmi mes mets doudou préférés. Toutefois, suivez mon conseil et mangez ceux-ci à l'aide d'une fourchette.

Ingrédients

2	pains à hot-dog taillés en deux	2
15 ml	beurre fondu	1 c. à soupe
15 ml	moutarde	1 c. à soupe
2	saucisses à hot-dog au bœuf grillées et taillées en deux	2
125 ml	sauce chili	½ tasse
125 ml	cheddar râpé	½ tasse
50 ml	oignon blanc en dés	¼ tasse

Faites chauffer le grille-panini à la puissance maximale.

1. Posez les pains sur leur mie sur un plan de travail et badigeonnez leur croûte de beurre fondu. Tournez-les et tartinez-les de moutarde. Garnissez les pains de saucisse, de sauce chili, de fromage et d'oignon.

2. Posez les sandwiches sur le gril, abaissez la plaque supérieure à 1 cm (½ po) de la garniture et tenez-la jusqu'à ce que le fromage fonde, soit pendant 1 à 2 minutes. Servez sans tarder en tartine.

Conseils : Ma fille aime les hot-dogs arrosés de ketchup, mais je soutiens que la recette n'est plus la même si on n'emploie pas de moutarde à l'ancienne. Vous pourriez ajouter de la relish marinée ou sucrée sur les oignons. Je prépare ces paninis avec des pains à hot-dog ou à sous-marin faits de blé complet.

Panini au bifteck épicé accompagné d'oignons croustillants **2 portions**

Le bœuf s'allie à la sauce barbecue et aux oignons frits pour faire un panini de choix.

Ingrédients

500 ml	huile végétale (environ)	2 tasses
15 ml	farine tout usage	1 c. à soupe
5 ml	sel	1 c. à thé
2 ml	poivre noir frais moulu	½ c. à thé
2 ml	paprika	½ c. à thé
1	gros oignon en fines tranches séparées en rondelles	1
2	pains à sous-marin taillés en deux	2
15 ml	beurre fondu	1 c. à soupe
15 ml	mayonnaise	1 c. à soupe
125 g	bifteck grillé en tranches très fines (6 tranches environ)	4 oz
60 g	cheddar fumé en fines tranches	2 oz
75 ml	sauce barbecue au chipotle (reportez-vous à la page 182 pour la recette)	⅓ tasse

Faites chauffer le grille-panini à la puissance maximale.

1. Faites chauffer dans une poêle à frire lourde et profonde environ 5 cm (2 po) d'huile à feu vif jusqu'à ce qu'un thermomètre indique 190 °C (375 °F), soit pendant 10 minutes environ.

2. Entre-temps, mélangez dans un grand cul-de-poule la farine, le sel, le poivre et le paprika. Ajoutez les rondelles d'oignon et touillez-les de manière à les fariner; secouez-les pour en enlever le surplus de farine et jetez celle qui reste. Déposez délicatement les rondelles d'oignon dans l'huile chaude et faites-les frire, en les tournant à une reprise, jusqu'à ce qu'elles soient dorées et croustillantes, soit pendant 3 à 5 minutes. À l'aide d'une cuiller à rainures, déposez les rondelles d'oignon dans un plat chemisé d'essuie-tout et conservez-les au chaud.

3. Posez les pains sur la mie sur un plan de travail et badigeonnez la croûte de beurre fondu. Tournez-les et tartinez de mayonnaise les moitiés inférieures. Garnissez-les ensuite de bifteck, de fromage et de 250 ml (1 tasse) d'oignons frits. Garnissez le tout d'un filet de sauce barbecue. Coiffez-les de leur moitié supérieure et appuyez doucement dessus afin de les comprimer.

Conseils : Cette recette peut être présentée avec ou sans oignons. Vous pouvez en outre garnir le sandwich d'oignons en tranches ou sautés. Afin de vous assurer d'un bon degré de cuisson à l'intérieur et d'une croûte parfaite à la surface, vérifiez que l'huile atteint 190 °C (375 °F) avant de faire frire les oignons.

4. Posez les sandwiches sur le gril, abaissez la plaque supérieure et faites-les dorer pendant 3 à 4 minutes. Servez sans tarder avec ce qui reste d'oignons frits en accompagnement.

Panini au poulet à la mode hawaïenne **2 portions**

Je vous incite à employer de l'ananas frais dont le sucre naturel caramélise lorsqu'il grille, ce qui ajoute à la saveur, à la couleur et à la texture du sandwich. Cette recette met en lumière les saveurs que l'on retrouve dans l'archipel du Pacifique, soit la sauce teriyaki, l'oignon de Maui et le chou.

Ingrédients

2	tranches d'ananas frais (environ 0,5 cm ou ¼ po d'épaisseur)	2
2	ciabattas taillées en deux	2
15 ml	beurre fondu	1 c. à soupe
75 ml	sauce teriyaki	⅓ tasse
250 g	poitrine de poulet grillée en fines tranches	8 oz
4	fines tranches d'oignon Maui ou d'un autre oignon doux	4
125 ml	chou napa râpé	½ tasse

Faites chauffer le grille-panini à la puissance maximale.

1. Déposez les tranches d'ananas sur la plaque inférieure du gril, abaissez la plaque supérieure et faites griller jusqu'à ce que l'ananas soit tendre et porte les traces du gril, soit pendant 1 à 2 minutes. Retirez-le et conservez-le au chaud. Nettoyez soigneusement les plaques du gril.

2. Posez les ciabattas sur leur mie sur un plan de travail et badigeonnez leur croûte de beurre fondu. Tournez-les et badigeonnez-les de sauce teriyaki. Garnissez les moitiés inférieures de poulet, d'ananas, d'oignon et de chou. Garnissez le tout d'un filet de sauce teriyaki. Coiffez-les de leur moitié supérieure et appuyez doucement dessus afin de les comprimer.

3. Posez les sandwiches sur le gril, abaissez la plaque supérieure et faites-les dorer pendant 3 à 4 minutes. Servez sans tarder.

Conseils : Afin de rehausser davantage la saveur, badigeonnez les tranches d'ananas de sauce teriyaki avant de les faire griller. Vous trouverez du poulet grillé au rayon des surgelés du supermarché; il convient aux recettes de panini. Je le taille en fines tranches plutôt qu'en morceaux car il se mange mieux ainsi.

Variante : Garnissez le chou de cacahuètes grillées hachées qui ajouteront du craquant et de la saveur au sandwich.

enfants

paninis réservés aux enfants

Panini-pizza à l'ananas 2 portions

Regardons la réalité en face: les enfants raffolent de la pizza. Il se trouve plusieurs recettes dans ce livre qui font appel à des ingrédients qui entrent dans la composition de pizzas, mais celle-ci réunit les saveurs qui ont la préférence des enfants. Derek, mon ami préado, ignorait que l'ananas puisse être incorporé avec bonheur à un sandwich; à présent, il veut en mettre dans tous ses plats.

Ingrédients

2	tortillas de farine de 15 cm (6 po)	2	
15 ml	beurre fondu	1 c. à soupe	
25 ml	sauce à pizza	2 c. à soupe	
60 g	jambon fumé en fines tranches	2 oz	
50 ml	tomates épépinées, hachées	¼ tasse	
50 ml	poivron haché	¼ tasse	
50 ml	morceaux d'ananas en conserve, égouttés	¼ tasse	
125 ml	mozzarella râpée	½ tasse	

Faites chauffer le grille-panini à la puissance maximale.

1. Badigeonnez de beurre fondu un côté de chaque tortilla. Posez-les du côté beurré sur un plan de travail et tartinez de sauce à pizza. Posez au centre de chaque tortilla une quantité égale de jambon, tomate, poivron, ananas et fromage en prévoyant une bordure de 1 cm (½ po) tout autour. Repliez les tortillas sur la garniture en faisant se chevaucher les bordures et en appuyant doucement afin de les comprimer.

2. Posez les sandwiches sur le gril, abaissez la plaque supérieure et faites-les dorer pendant 3 à 4 minutes. Servez sans tarder.

Conseils : Allégez cette recette en employant de la mozzarella faite de lait écrémé. Employez différentes variétés de poivron pour ajouter de la couleur : vert, rouge, jaune, orange ou mauve.

Variante : Remplacez les tortillas par des ciabattas et confectionnez des sandwiches plutôt que des roulés.

Panini à la dinde et au jambon **2 portions**

Cette recette est idéale pour les petites mains et permet d'apprêter les pains mollets qui restent. Je conserve au congélateur les pains mollets et je les laisse décongeler à température ambiante afin de les servir avec un potage ou une collation.

Ingrédients

2	pains mollets taillés en deux	2	
10 ml	beurre fondu	2 c. à thé	
60 g	jambon en fines tranches	2 oz	
60 g	poitrine de dinde grillée en fines tranches	2 oz	
60 g	cheddar blanc en fines tranches	2 oz	

Faites chauffer le grille-panini à la puissance maximale.

1. Posez les pains sur la mie sur un plan de travail et badigeonnez la croûte de beurre fondu. Tournez-les et garnissez les moitiés inférieures de jambon, de dinde et de fromage. Coiffez-les de leur moitié supérieure et appuyez doucement dessus afin de les comprimer.

2. Posez les sandwiches sur le gril, abaissez la plaque supérieure et laissez-les dorer pendant 3 à 4 minutes. Servez sans tarder.

Conseils : Je me suis rendu compte que les enfants adorent les pains mollets. Le cas échéant, remplacez les ingrédients que je propose par ceux que votre enfant préfère. Une fillette de ma connaissance apprécie les bâtonnets de poisson dans ses paninis. Voilà qui devient plus pointu au chapitre du goût !

Panini fiesta 2 portions

Voici une recette amusante qui incitera les enfants à manger tous leurs légumes. Employez du fromage à la crème allégé ou aromatisé afin de varier les saveurs. Ma jeune amie Griffin ajoute à ce sandwich du poulet effiloché et du guacamole.

Ingrédients

50 ml	haricots noirs en conserve, rincés, égouttés	¼ tasse
50 ml	épis de maïs miniatures surgelés, décongelés	¼ tasse
50 ml	poivron vert en fines tranches	¼ tasse
50 ml	fromage à la crème amolli	¼ tasse
15 ml	salsa douce	1 c. à soupe
2	tortillas de farine de 15 cm (6 po)	2
15 ml	beurre fondu	1 c. à soupe
4	tranches de bacon en dés, croustillantes	4
125 ml	fromage Colby Jack ou Monterey Jack râpé	½ tasse

Faites chauffer le grille-panini à la puissance maximale.

1. Mélangez dans un cul-de-poule les haricots noirs, les épis de maïs et le poivron vert; réservez.

2. Mélangez dans un autre récipient le fromage à la crème et la salsa.

3. Badigeonnez de beurre fondu un côté de chaque tortilla. Posez-les du côté beurré sur un plan de travail et tartinez de préparation au fromage à la crème. Garnissez la moitié de chaque tortilla de la préparation à base de haricots, de bacon et de fromage en prévoyant une bordure de 1 cm (½ po) tout autour. Repliez les tortillas sur la garniture en appuyant doucement afin de les comprimer.

4. Posez les sandwiches sur le gril, abaissez la plaque supérieure et faites-les dorer pendant 3 à 4 minutes. Servez sans tarder.

Conseils : Rincez à l'eau courante les haricots noirs en conserve afin d'enlever la pellicule d'amidon. Vous connaissez bien les goûts de vos enfants et vous savez ce qu'ils mangeront. Vous pouvez leur passer quelques légumes de temps en temps, mais seulement ceux qu'ils aiment. Ainsi, des carottes râpées feraient merveille dans ce sandwich.

Paninis étoiles au fromage fondant **2 portions**

Les enfants de tous âges adorent les sandwiches au fromage fondant, car il s'agit d'un aliment doudou, en particulier lorsqu'on les présente sous forme d'étoile. Le fromage américain fait d'excellents sandwiches mais, lorsqu'on l'associe à la mozzarella, on atteint un autre niveau !

Ingrédients

4	tranches de pain de blé complet (1 cm ou ½ po d'épaisseur)	4
60 g	fromage américain blanc en fines tranches	2 oz
60 g	mozzarella en fines tranches huile d'olive en aérosol	2 oz

Faites chauffer le grille-panini à la puissance maximale.

1. À l'aide d'un emporte-pièce, découpez le pain et le fromage en forme d'étoile.

2. Pulvérisez un peu d'huile d'olive sur un côté de chaque tranche de pain. Posez-les du côté huilé sur un plan de travail et posez une même quantité de fromage américain et de mozzarella sur les moitiés inférieures. Coiffez-les des moitiés supérieures et appuyez doucement dessus afin de les comprimer.

3. Posez les sandwiches sur le gril, abaissez la plaque supérieure et faites-les dorer pendant 3 à 4 minutes. Servez sans tarder.

Conseils : Cette recette est idéale pour une fête d'enfants ou lorsque des amis de vos enfants passent la nuit chez vous. Elle fait une belle récompense à un enfant qui a remporté un tournoi de soccer, qui vous présente un bon bulletin ou qui sort le bac de recyclage de sa propre initiative.

Panini au jambon et à l'ananas **2 portions**

La saveur de l'ananas frais est incomparable mais, si vous êtes pressé par le temps, la conserve fera l'affaire.

Ingrédients

4	tranches de pain multigrains (1 cm ou ½ po d'épaisseur)	4
15 ml	beurre fondu	1 c. à soupe
60 g	cheddar en fines tranches	2 oz
60 g	jambon en fines tranches	2 oz
2	tranches d'ananas frais (environ 0,5 cm ou ¼ po d'épaisseur)	2

Faites chauffer le grille-panini à la puissance maximale.

1. Badigeonnez de beurre fondu un côté de chaque tranche de pain. Posez deux tranches du côté beurré sur un plan de travail et garnissez-les d'une quantité égale de fromage, de jambon et d'ananas. Coiffez-les des moitiés supérieures, le côté beurré à l'extérieur, et appuyez doucement dessus afin de les comprimer.

2. Posez les sandwiches sur le gril, abaissez la plaque supérieure et faites-les dorer pendant 3 à 4 minutes. Servez sans tarder.

Variantes : Tartinez le pain de fromage à la crème aromatisé avant de poser les garnitures. La vanille et la fraise sont nos parfums préférés. Remplacez le cheddar par du fromage américain blanc ou combinez les deux.

Panini-crêpe 2 portions

Les enfants adorent cuisiner, alors pourquoi ne pas les inviter à prendre part à la préparation du repas ? Demandez-leur de tartiner le fromage à la crème et la confiture et d'étager les tranches de banane.

Ingrédients

4	crêpes (10 à 12,5 cm ou 4 à 5 po de diamètre chacune)	4
15 ml	beurre fondu	1 c. à soupe
25 ml	fromage à la crème amolli	2 c. à soupe
25 ml	confiture de fraises	2 c. à soupe
1	banane en tranches	1
25 ml	miel liquide	2 c. à soupe

Faites chauffer le grille-panini à la puissance maximale.

1. Badigeonnez de beurre fondu un côté de chaque crêpe. Posez-les du côté beurré sur un plan de travail et tartinez les moitiés inférieures de fromage à la crème. Tartinez leur moitié supérieure de confiture. Garnissez les moitiés inférieures de banane et d'un filet de miel. Repliez les crêpes sur la garniture et appuyez doucement dessus afin de les comprimer. Découpez-les à l'aide d'un emporte-pièce.

2. Posez les sandwiches sur le gril, abaissez la plaque supérieure et laissez cuire jusqu'à ce qu'ils soient légèrement dorés et portent les traces du gril, soit pendant 1 à 2 minutes. Servez sans tarder.

Conseil : Ce panini accompagné d'un jus d'orange frais fait un excellent petit déjeuner aux enfants.

Variante : Ajoutez quelques saucisses en chapelet pour leur apporter davantage de protéines. Ajoutez des fraises tranchées à l'intérieur du panini ou en guise d'accompagnement.

Panini au jambon et aux œufs verts 2 portions

Servez ce sandwich en l'honneur des œufs verts et du jambon qui ont fait la renommée du Dr Seuss. Les adultes apprécieront cette recette autant que les enfants.

Ingrédients

5 ml	beurre	1 c. à thé
125 ml	dés de jambon	½ tasse
125 ml	pousses d'épinards hachées fin	½ tasse
15 ml	oignon vert haché fin	1 c. à soupe
2	œufs fouettés	2
pincée	sel	pincée
pincée	poivre noir frais moulu	pincée
2	muffins anglais taillés en deux	2
15 ml	beurre fondu	1 c. à soupe
15 ml	parmesan râpé	1 c. à soupe

Faites chauffer le grille-panini à la puissance maximale.

1. Faites fondre le beurre dans une poêle antiadhésive à feu moyen vif. Ajoutez les dés de jambon et faites-les sauter pendant 1 minute. Ajoutez les épinards et l'oignon vert; faites-les sauter pendant 1 minute. Ajoutez les œufs, le sel et le poivre; brouillez les œufs jusqu'à obtention de la consistance voulue.

2. Posez les muffins sur la mie sur un plan de travail et badigeonnez la croûte de beurre fondu. Tournez-les et répartissez la préparation aux œufs entre les deux moitiés inférieures. Garnissez-les de parmesan. Coiffez-les des moitiés supérieures et appuyez doucement dessus afin de les comprimer.

3. Posez les sandwiches sur le gril, abaissez la plaque supérieure et faites-les dorer pendant 3 à 4 minutes. Servez sans tarder.

Conseil : Ce sandwich n'est pas réservé exclusivement aux enfants; je le déguste avec un mimosa et en racontant une histoire du Dr Seuss.

Variante : La plupart des enfants aiment le fromage; aussi, ajoutez-en à la recette pour qu'ils profitent d'un produit laitier.

Panini qui craque et qui croque 2 portions

Ma petite amie Emmy garnit ses sandwiches de miettes de croustilles, ce qui prouve ma théorie, à savoir que les enfants adorent les aliments craquants. Amusez-vous en famille et demandez aux petits de réduire les croustilles en miettes. Les tortillas de farine craqueront davantage que les croustilles à base de pommes de terre, en particulier après que les sandwiches auront grillé.

Ingrédients

4	tranches de pain de blé complet (1 cm ou ½ po d'épaisseur)	4	
15 ml	beurre fondu	1 c. à soupe	
60 g	fromage américain blanc en fines tranches	2 oz	
30 g	jambon cuit en fines tranches	1 oz	
30 g	poitrine de dinde fumée en fines tranches	1 oz	
50 ml	croustilles ou tortillas de farine émiettées	¼ tasse	

Faites chauffer le grille-panini à la puissance maximale.

1. Badigeonnez de beurre fondu un côté de chaque tranche de pain. Posez deux tranches du côté beurré sur un plan de travail et garnissez-les d'une quantité égale de fromage, de jambon, de dinde et de miettes de croustilles. Coiffez-les des moitiés supérieures, le côté beurré à l'extérieur, et appuyez doucement dessus afin de les comprimer.

2. Posez les sandwiches sur le gril, abaissez la plaque supérieure et faites-les dorer pendant 3 à 4 minutes. Servez sans tarder.

Conseil : Afin d'alléger cette recette, employez des croustilles cuites au four, et non frites dans l'huile.

Panini au beurre de cacahuète, à la confiture et à la banane
2 portions

Cette recette porte le beurre de cacahuète à de nouveaux sommets. Ma fille adore ce sandwich cent pour cent américain mais, lorsque je le fais dorer au grille-panini, elle me vénère. Il m'arrive de laisser tomber la banane et d'employer du beurre de cacahuète crémeux et des gelées de différentes saveurs.

Ingrédients

4	tranches de pain de blé complet (2,5 cm ou 1 po d'épaisseur)	4
15 ml	beurre amolli	1 c. à soupe
50 ml	beurre de cacahuète croquant	¼ tasse
25 ml	fraises en conserve ou confiture de fraises	2 c. à soupe
1	banane en tranches	1

Faites chauffer le grille-panini à la puissance maximale.

1. Tartinez de beurre amolli un côté de chaque tranche de pain. Posez-les du côté beurré sur un plan de travail et tartinez-les de beurre de cacahuète. Garnissez les moitiés inférieures de confiture et de tranches de banane. Coiffez-les des deux autres tranches et appuyez doucement dessus afin de les comprimer.

2. Posez les sandwiches sur le gril, abaissez la plaque supérieure et faites-les dorer pendant 3 à 4 minutes. Servez sans tarder.

Conseil : Si les bananes sont trop mûres, elles glisseront du sandwich. Que faire ? Les réduire en purée.

Variante : Remplacez le pain de blé complet par une challah ou du pain aux raisins et à la cannelle.

Panini aux fourmis **2 portions**

Non, ce panini n'est pas fait avec des fourmis. Il s'agit simplement d'un intitulé accrocheur pour désigner un sandwich fait de raisins secs et de fromage à la crème qui a fondu à l'intérieur d'une challah.

Ingrédients

10 ml	sucre cristallisé	2 c. à thé
1 ml	cannelle moulue	¼ c. à thé
50 ml	fromage à la crème amolli	¼ tasse
15 ml	sucre glace	1 c. à soupe
soupçon	extrait de vanille	soupçon
4	tranches de challah	4
	(1 cm ou ½ po d'épaisseur)	
15 ml	beurre fondu	1 c. à soupe
25 ml	raisins secs	2 c. à soupe

Faites chauffer le grille-panini à la puissance maximale.

1. Mélangez dans un cul-de-poule le sucre glace et une pincée de cannelle; réservez.

2. Mélangez dans un autre cul-de-poule le fromage à la crème, le sucre cristallisé, les restes de cannelle et la vanille.

3. Badigeonnez de beurre fondu un côté de chaque tranche de pain et saupoudrez-les de sucre à la cannelle. Posez deux tranches du côté beurré sur un plan de travail et tartinez-les de préparation au fromage à la crème. Garnissez-les de raisins secs. Coiffez-les des deux autres tranches de pain, le côté beurré à l'extérieur, et appuyez doucement dessus afin de les comprimer.

4. Posez les sandwiches sur le gril, abaissez la plaque supérieure et faites-les dorer pendant 3 à 4 minutes. Servez sans tarder.

Conseils : La challah est ce pain aux œufs qui sert à la bénédiction lors des sabbats juifs. Remplacez les raisins secs par des raisins dorés ou des canneberges séchées. Préparez cette recette avec du fromage à la crème aromatisé aux fraises.

paninis desserts

Panini au chocolat, aux noisettes et aux fraises 2 portions

Cette recette plaira aux amateurs de sucreries. Elle fait un excellent dessert à la fin d'un dîner romantique et je la sers également à l'heure de la collation.

Ingrédients

4	tranches de challah (1 cm ou ½ po d'épaisseur)	4
10 ml	beurre fondu	2 c. à thé
50 ml	tartinade au chocolat et aux noisettes (p. ex., Nutella)	¼ tasse
125 ml	fraises en tranches	½ tasse

Faites chauffer le grille-panini à la puissance maximale.

1. Badigeonnez de beurre fondu un côté de chaque tranche de pain. Posez deux tranches du côté beurré sur un plan de travail et garnissez-les de tartinade au chocolat et aux noisettes. Coiffez-les des deux autres tranches de pain, le côté beurré à l'extérieur, et appuyez doucement dessus afin de les comprimer.

2. Posez les sandwiches sur le gril, abaissez la plaque supérieure et faites-les dorer pendant 3 à 4 minutes. Servez sans tarder.

Conseils : Garnissez ces sandwiches de crème fouettée ou de glace à la vanille. On trouve la tartinade au chocolat et aux noisettes à proximité du beurre de cacahuète sur les rayons des supermarchés.

Variante : Remplacez la challah par du quatre-quarts ou du gâteau des anges.

Panini aux petits fruits et au mascarpone garni d'amandes grillées 2 portions

Cette recette met en vedette le mascarpone, à la texture riche comme celle du beurre, alors que les rôles de soutien sont tenus par des amandes grillées et des petits fruits macérés dans le kirsch.

Ingrédients

50 ml	framboises	¼ tasse
50 ml	fraises en tranches	¼ tasse
50 ml	bleuets	¼ tasse
5 ml	sucre cristallisé	1 c. à thé
5 ml	kirsch ou eau-de-vie de cerises	1 c. à thé
4	tranches de brioche	4
	(1 cm ½ po d'épaisseur)	
15 ml	beurre fondu	1 c. à soupe
50 ml	mascarpone amolli	¼ tasse
25 ml	amandes effilées, grillées	2 c. à soupe
	(reportez-vous au conseil ci-dessous)	
	sucre glace	
	crème fouettée	

Faites chauffer le grille-panini à la puissance maximale.

1. Mélangez dans un cul-de-poule les framboises, les fraises, les bleuets, le sucre et le kirsch; laissez macérer en remuant à l'occasion jusqu'à ce que le sucre ait fondu et que les fruits aient fait leur jus, soit pendant environ 30 minutes. Éliminez le liquide en trop.

2. Badigeonnez de beurre fondu un côté de chaque tranche de brioche. Posez-les du côté beurré sur un plan de travail, tartinez-les de fromage et garnissez-les d'amandes grillées. Garnissez les moitiés inférieures d'une égale quantité de préparation à base de petits fruits. Coiffez-les de leur moitié supérieure, le côté beurré à l'extérieur, et appuyez doucement dessus afin de les comprimer.

3. Posez les sandwiches sur le gril, abaissez la plaque supérieure et faites-les dorer pendant 3 à 4 minutes. Saupoudrez-les de sucre glace, garnissez-les d'un nuage de crème fouettée et servez-les sans tarder.

Conseils : Servez ce dessert avec une flûte de champagne ou de crémant brut bien frappé. Afin de griller les noix, étalez-les sur une plaque à cuisson et faites-les dorer à 180 °C (350 °F) jusqu'à ce qu'elles dégagent leur parfum, soit pendant 5 à 10 minutes.

Panini au coin du feu **2 portions**

Je dois avouer que le camping n'est pas mon truc, mais je ne suis pas insensible aux guimauves fondues sur le feu. J'ai imaginé cette recette de manière à faire fondre les guimauves dans un grille-panini plutôt qu'au-dessus des flammes vives.

Ingrédients

4	tranches de challah	4
	(1 cm ou ½ po d'épaisseur)	
15 ml	beurre fondu	1 c. à soupe
125 ml	crème de guimauve	½ tasse
2	biscuits graham rompus en deux	2
1	tablette de chocolat rompue en deux	1
	(44 g ou 1,55 oz)	

Faites chauffer le grille-panini à la puissance maximale.

1. Badigeonnez de beurre fondu un côté de chaque tranche de pain. Posez-les du côté beurré sur un plan de travail et tartinez-les de crème de guimauve. Garnissez les moitiés inférieures d'une égale quantité de biscuits graham et de chocolat. Coiffez-les de leur moitié supérieure, le côté beurré à l'extérieur, et appuyez doucement dessus afin de les comprimer.

2. Posez les sandwiches sur le gril, abaissez la plaque supérieure et faites-les dorer pendant 3 à 4 minutes. Servez sans tarder.

Conseils : Vous pouvez certes remplacer la crème de guimauve par des guimauves blanches ou colorées, de la taille de votre choix. J'ai employé une tablette de chocolat au lait mais, si vous préférez une saveur plus intense, prenez du chocolat noir.

Panini à la banane royale 2 portions

Cette recette compte parmi les préférées des enfants, y compris les adultes jeunes de cœur qui adorent les bananes royales. Ce panini dégouline un peu, mais sa saveur extraordinaire vaut bien la séance de nettoyage qui suit.

Ingrédients

4	tranches de pain au blé et au miel (1 cm ou ½ po d'épaisseur)	4
15 ml	beurre fondu	1 c. à soupe
25 ml	beurre de cacahuète crémeux	2 c. à soupe
1	banane en tranches	1
125 ml	fraises en fines tranches	½ tasse
15 ml	miel liquide	1 c. à soupe
15 ml	sirop au chocolat	1 c. à soupe
25 ml	crème fouettée	2 c. à soupe
2	cerises au marasquin (avec leurs tiges)	2

Faites chauffer le grille-panini à la puissance maximale.

1. Badigeonnez de beurre fondu un côté de chaque tranche de pain. Posez deux tranches du côté beurré sur un plan de travail et tartinez-les de beurre de cacahuète. Garnissez-les d'une égale quantité de banane et de fraises et d'un filet de miel et de sirop au chocolat. Coiffez-les de leur moitié supérieure, le côté beurré à l'extérieur, et appuyez doucement dessus afin de les comprimer.

2. Posez les sandwiches sur le gril, abaissez la plaque supérieure et faites-les dorer pendant 3 ou 4 minutes. Servez sans tarder avec un nuage de crème fouettée et une cerise au marasquin.

Variante : Ajoutez des noix grillées hachées afin de rehausser la saveur et donner du craquant à ce dessert.

Panini aux pommes, au fromage à la crème et au miel **2 portions**

Le fromage à la crème parfumé de miel crée le plus bel effet dans ce panini. J'ai choisi des pommes McIntosh, car elles cuisent facilement, mais vous pouvez assurément employer les pommes que vous voulez. Ainsi, les Granny Smith ont un goût acidulé qui conviendrait à merveille à cette recette.

Ingrédients

50 ml	fromage à la crème amolli	¼ tasse
20 ml	miel liquide	4 c. à thé
1 ml	extrait de vanille	¼ c. à thé
4	tranches de challah	4
	(1 cm ou ½ po d'épaisseur)	
15 ml	beurre fondu	1 c. à soupe
1	pomme McIntosh en fines tranches	1
pincée	cannelle moulue	pincée
pincée	muscade moulue	pincée
125 ml	framboises, bleuets ou fraises en tranches	½ tasse

Faites chauffer le grille-panini à la puissance maximale.

1. Mélangez dans un petit cul-de-poule le fromage à la crème, 5 ml (1 c. à thé) de miel et l'extrait de vanille; réservez.

2. Badigeonnez de beurre fondu un côté de chaque tranche de pain. Posez-les du côté beurré sur un plan de travail et tartinez-les de préparation à base de fromage à la crème. Garnissez les moitiés inférieures d'une égale quantité de tranches de pomme et saupoudrez la préparation à base de cannelle. Coiffez-les de leur moitié supérieure, le côté beurré à l'extérieur, et appuyez doucement dessus afin de les comprimer.

3. Posez les sandwiches sur le gril, abaissez la plaque supérieure et faites-les dorer pendant 3 à 4 minutes. Servez sans tarder en garnissant d'un filet de miel et de petits fruits.

Conseils : Si vous ne trouvez pas de challah, ce pain aux œufs qui sert à la bénédiction lors des sabbats juifs, remplacez-le par du pain à la cannelle. La préparation à base de fromage à la crème fait une savoureuse collation lorsqu'on en tartine des biscuits, des toasts ou des craquelins et qu'on la garnit de confiture ou de conserve de fruits. Pulvérisez votre cuiller d'un aérosol de cuisson avant de mesurer le miel — il en glissera sans façon.

Dessert aux pêches et aux bleuets **2 portions**

Ce magnifique dessert vous vaudra des éloges tant pour sa présentation que pour son mariage de saveurs.

Ingrédients

2	pêches pelées et tranchées	2
125 ml	bleuets	½ tasse
45 ml	sucre cristallisé	3 c. à soupe
10 ml	jus de citron frais	2 c. à thé
2	tranches de quatre-quarts	2
	(1 cm ou ½ po d'épaisseur)	
15 ml	beurre fondu	1 c. à soupe
2	petites boules de glace à la vanille	2
25 ml	amaretto ou autre liqueur à l'amande	2 c. à soupe
25 ml	amandes hachées, grillées	2 c. à soupe
	(reportez-vous au conseil de la page 162)	

Faites chauffer le grille-panini à la puissance maximale.

1. Mélangez dans un cul-de-poule les pêches, les bleuets, le sucre et le jus de citron; laissez reposer en remuant à l'occasion jusqu'à ce que le sucre ait fondu et que les fruits aient fait leur jus, soit pendant 10 minutes environ.

2. Posez les tranches de gâteau sur un plan de travail et badigeonnez les deux côtés de beurre fondu. Posez-les sur le gril, abaissez la plaque supérieure et faites-les dorer légèrement jusqu'à ce que le gril laisse des traces à leur surface, soit pendant 2 à 3 minutes.

3. Déposez les tranches de gâteau dans des assiettes à dessert. À l'aide d'une cuiller, garnissez-les de la préparation aux pêches et la glace à la vanille. Versez sur le tout un filet d'amaretto et décorez d'amandes grillées. Servez sans tarder.

Conseils : Servez ce dessert avec de la glace au chocolat blanc. Garnissez la glace d'un nuage de crème fouettée parfumée à l'amaretto et d'amandes grillées.

condiments

condiments

Salsa au maïs et aux haricots noirs environ 875 ml à 1 l (3½ à 4 tasses)

Cette salsa fraîche comme un matin d'été se prête à toutes sortes de recettes. Vous pouvez la servir en salade, en trempette ou en sandwich entre deux tortillas avec un peu de fromage Monterey Jack pour en faire une quesadilla.

Ingrédients

1	tomate pelée, épépinée	1
1	piment jalapeño épépiné, haché fin	1
1	boîte de haricots noirs, rincés, égouttés (398 à 540 ml ou 14 à 19 oz)	1
250 ml	maïs frais ou surgelé, décongelé le cas échéant	1 tasse
50 ml	oignon vert en fines tranches	¼ tasse
50 ml	coriandre fraîche hachée	¼ tasse
15 ml	jus de limette frais	1 c. à soupe
	sel et poivre noir frais moulu	

Conseils : Elle se conserve au réfrigérateur dans un récipient hermétique pendant près de cinq jours. Employez deux piments jalapeños si vous aimez le goût du feu. Des épis de maïs grillés apporteront à cette salsa une délicieuse note carbonisée.

1. Mélangez dans un grand cul-de-poule la tomate, le piment jalapeño, les haricots noirs, le maïs, l'oignon vert et la coriandre. Ajoutez le jus de limette et touillez afin de bien en enduire les autres ingrédients. Salez et poivrez. Couvrez et réfrigérez jusqu'à ce que la salsa soit bien fraîche, soit pendant 1 heure environ.

Guacamole environ 500 ml (2 tasses)

Ma passion pour le guacamole remonte à 1993 et je la dois à mon cher ami Bobby Collins; aussi, a-t-il servi d'inspiration à cette recette. Ce guacamole atteint à la perfection. On peut en garnir un panini, des tortillas, des salades et, surtout, le servir avec des margaritas bien fraîches!

Ingrédients

2	gros avocats pelés, dénoyautés	2
15 ml	crème aigre, mayonnaise ou vinaigrette ranch	1 c. à soupe
3	tomates oblongues (Roma), épépinées et hachées	3
2	piments jalapeños épépinés, hachés fin	2
2	gousses d'ail hachées fin	2
50 ml	oignon rouge haché fin	¼ tasse
15 ml	coriandre fraîche hachée	1 c. à soupe
25 ml	jus de limette frais	2 c. à soupe
	sel et poivre noir frais moulu	

Conseils : Afin d'accélérer la préparation, remplacez les tomates, les piments jalapeños, l'ail, l'oignon rouge et la coriandre par 125 ml (½ tasse) de votre salsa préférée ou de pico de gallo frais. Je prépare mon guacamole à l'aide d'un molcajete, le pilon et le mortier mexicains, et je le sers dans le mortier.

1. Dans un cul-de-poule, réduisez les avocats en une purée grossière. Ajoutez en remuant la crème aigre. Incorporez doucement les tomates, les piments jalapeños, l'ail, l'oignon, la coriandre et le jus de limette. Salez et poivrez au goût.

Vinaigrette simplissime environ 175 ml (¾ tasse)

Cette recette est la simplicité même et pourtant elle rehausse de belle façon les salades, les sandwiches et les légumes cuits à la vapeur.

Ingrédients

50 ml	vinaigre de riz ou de vin blanc ou jus de citron frais	¼ tasse
2 ml	sel	½ c. à thé
1 ml	poivre noir frais moulu	¼ c. à thé
125 ml	huile d'olive	½ tasse

1. Mélangez dans le récipient d'un mélangeur ou d'un robot culinaire doté d'une lame de métal le vinaigre, le sel et le poivre. Alors que tourne la lame, versez par l'ouverture du couvercle ou l'orifice d'alimentation l'huile en un filet ininterrompu et pulsez jusqu'à ce que la vinaigrette soit bien liée.

Conseils : Elle se conserve au réfrigérateur dans un récipient hermétique pendant près d'une semaine. Agitez bien avant l'usage.

Variante : Ajoutez environ 25 ml (2 c. à soupe) de fines herbes ciselées pour en moduler la saveur.

Vinaigrette au tahini environ 125 ml (½ tasse)

Cette recette fait autant une tartinade dans les paninis qu'une vinaigrette dans les salades ou sur les légumes cuits à la vapeur.

Ingrédients

2	gousses d'ail	2
75 ml	tahini	⅓ tasse
75 ml	eau	⅓ tasse
50 ml	jus de citron frais	¼ tasse
5 ml	sauce soja	1 c. à thé
2 ml	sel	½ c. à thé
1 ml	paprika	¼ c. à thé
pincée	poivre noir frais moulu	pincée
15 ml	persil frais haché	1 c. à soupe

1. Mélangez dans le récipient d'un robot culinaire tous les ingrédients sauf le persil jusqu'à ce que la vinaigrette soit bien liée. Ajoutez le persil et pulsez jusqu'à ce qu'il soit haché fin.

Conseils : Elle se conserve au réfrigérateur dans un récipient hermétique pendant près d'une semaine. Le tahini, cette pâte faite de graines de sésame moulues, est l'un des principaux ingrédients de la cuisine moyen-orientale. On l'emploie souvent à la préparation du hoummos et à la confection de vinaigrettes.

Vinaigrette à la russe environ 175 ml (¾ tasse)

Versez cette vinaigrette sur les ingrédients qui composent un panini avant de former le sandwich. En outre, elle accompagne à merveille les légumes verts et les laitues.

Ingrédients

75 ml	ketchup	⅓ tasse	
45 ml	oignon râpé	3 c. à soupe	
25 ml	miel liquide	2 c. à soupe	
25 ml	jus de citron frais	2 c. à soupe	
5 ml	sauce Worcestershire	1 c. à thé	
2 ml	sel	½ c. à thé	
1 ml	paprika	¼ c. à thé	
45 ml	huile d'olive	3 c. à soupe	

Conseil : Elle se conserve au réfrigérateur dans un récipient hermétique pendant près de trois jours. Agitez bien avant l'usage.

Variante : Préparez une version plus crémeuse en incorporant à l'aide d'un fouet 15 ml (1 c. à soupe) de mayonnaise.

1. Mélangez dans un cul-de-poule tous les ingrédients sauf l'huile. À l'aide d'un fouet, incorporez rapidement l'huile. Couvrez et réfrigérez jusqu'à ce que la vinaigrette soit bien fraîche, soit pendant 20 minutes environ.

Vinaigrette Mille-Îles environ 375 ml (1½ tasse)

Cette vinaigrette était un produit de première nécessité lorsque j'étais enfant. J'adore cette version rajeunie.

Ingrédients

250 ml	mayonnaise	1 tasse
25 ml	ketchup	2 c. à soupe
10 ml	sucre cristallisé	2 c. à thé
5 ml	sel	1 c. à thé
2 ml	poivre noir frais moulu	½ c. à thé
10 ml	jus de citron frais	2 c. à thé
5 ml	moutarde de Dijon	1 c. à thé
25 ml	huile d'olive	2 c. à soupe
15 ml	relish sucrée	1 c. à soupe
50 ml	oignon râpé	¼ tasse

Conseils : Elle se conserve au réfrigérateur dans un récipient hermétique pendant près d'une semaine. Agitez bien avant l'usage. Nappez de cette vinaigrette un quartier de laitue garni de tomates concassées, de miettes de bacon croustillant et de poivre noir frais moulu.

1. Mélangez dans un cul-de-poule la mayonnaise, le ketchup, le sucre, le sel, le poivre, le jus de citron et la moutarde. À l'aide d'un fouet, incorporez rapidement l'huile. Ajoutez en remuant la relish et l'oignon râpé. Couvrez et réfrigérez jusqu'à ce que la vinaigrette soit bien fraîche, soit pendant 20 minutes environ.

Sauce aux canneberges environ 625 ml (2½ tasses)

Bien que j'adore la compote de canneberges en conserve, j'aime bien préparer cette sauce lorsque j'en ai le temps. La recette est facile à réaliser et le résultat vous vaudra des bravos !

Ingrédients

250 ml	sucre cristallisé	1 tasse
5 ml	zeste d'orange	1 c. à thé
250 ml	jus d'orange	1 tasse
2 ml	gingembre râpé	½ c. à thé
1	sachet (375 g ou 12 oz) de canneberges fraîches ou surgelées	1
125 ml	pacanes hachées, grillées (reportez-vous au conseil de la page 162)	½ tasse

Conseil : Elle se conserve au réfrigérateur dans un récipient hermétique pendant près d'une semaine. (Bien qu'elle disparaisse bien avant cela chez nous !) Ajoutez de la fraîcheur à cette sauce en y incorporant 15 ml (1 c. à soupe) de jus de citron frais avant de servir.

Variante : Si vous n'aimez pas les pacanes, remplacez-les par des raisins secs, des raisins de Corinthe ou des bleuets.

1. Mélangez dans une casserole le sucre, le zeste d'orange, le jus d'orange et le gingembre. Faites cuire à feu moyen en remuant jusqu'à ce que le sucre ait fondu, soit pendant 1 minute environ. Ajoutez les canneberges et faites cuire jusqu'à ce qu'elles éclatent, soit pendant 5 minutes environ. Ajoutez les pacanes en remuant. Retirez du feu et laissez refroidir.

Mayonnaise au basilic environ 250 ml (1 tasse)

La mayonnaise au basilic a une saveur fraîche comme un matin d'été, en particulier lorsqu'on cueille le basilic dans son potager. Vous adorerez le parfum qu'elle apportera à vos sandwiches.

Ingrédients

250 ml	mayonnaise	1 tasse
50 ml	feuilles de basilic frais, peu tassées	¼ tasse
5 ml	zeste de citron	1 c. à thé
15 ml	jus de citron frais	1 c. à soupe
1 ml	poudre d'ail	¼ c. à thé

Conseils : Elle se conserve au réfrigérateur dans un récipient hermétique pendant près d'une semaine.

1. Mélangez dans le récipient d'un robot culinaire tous les ingrédients jusqu'à obtention d'une consistance homogène. Couvrez et réfrigérez jusqu'à ce que la mayonnaise soit bien fraîche, soit pendant 20 minutes environ.

Mayonnaise aux tomates confites au soleil environ 300 ml (1¼ tasse)

Cette mayonnaise savoureuse donne du tonus aux recettes à base de volailles, de bœuf, de porc et de légumes.

Ingrédients

50 ml	tomates confites au soleil, conservées dans l'huile, égouttées	¼ tasse
15 ml	jus de citron frais	1 c. à soupe
1 ml	romarin séché	¼ c. à thé
1 ml	basilic séché	¼ c. à thé
250 ml	mayonnaise	1 tasse

Conseils : Elle se conserve au réfrigérateur dans un récipient hermétique pendant près d'une semaine. Agitez avant l'usage. Touillez des pâtes chaudes avec quelques cuillerées (25 ml) de cette mayonnaise et garnissez-les de parmesan râpé; vous aurez là un repas délicieux et simple à préparer.

1. Mélangez dans le récipient d'un robot culinaire les tomates, le jus de citron, le romarin et le basilic jusqu'à ce que les tomates soient hachées fin. Ajoutez la mayonnaise et pulsez jusqu'à obtention d'une consistance homogène. Couvrez et réfrigérez jusqu'à ce que la mayonnaise soit bien fraîche, soit pendant 20 minutes environ.

Mayonnaise au bleu environ 875 ml à 1 l (3½ à 4 tasses)

Cette mayonnaise au goût relevé trouve sa place dans presque tous les sandwiches, en particulier ceux au bœuf. Le fromage bleu ajoute du mordant à pratiquement toutes les associations d'ingrédients.

Ingrédients

125 ml	mayonnaise	½ tasse
50 ml	yogourt nature	¼ tasse
10 ml	jus de citron frais	2 c. à thé
60 g	bleu en miettes	2 oz
1 ml	sel (ou au goût)	¼ c. à thé

Conseils : Elle se conserve au réfrigérateur dans un récipient hermétique pendant près d'une semaine. Prenez garde à ne pas trop pulser la mayonnaise après l'ajout du bleu, car elle aurait une vilaine teinte bleutée.

1. Mélangez dans un cul-de-poule la mayonnaise, le yogourt et le jus de citron. Incorporez délicatement le bleu. Salez au goût. Couvrez et réfrigérez jusqu'à ce que la mayonnaise soit bien fraîche, soit pendant 20 minutes environ.

Mayonnaise au chipotle environ 250 ml (1 tasse)

J'adore le punch que cette mayonnaise apporte aux sandwiches. Si vous appréciez leur feu en bouche, ajoutez davantage de piments chipotle.

Ingrédients

250 ml	mayonnaise	1 tasse
2	piments chipotle en sauce adobo en conserve	2

1. Mélangez dans le récipient d'un robot culinaire la mayonnaise et les piments chipotle jusqu'à obtention d'une consistance homogène. (Si elle est trop épaisse, allongez-la à traits de 15 ml [1 c. à soupe] d'eau jusqu'à ce qu'elle ait la consistance voulue.) Couvrez et réfrigérez jusqu'à ce que la mayonnaise soit bien fraîche, soit pendant 20 minutes environ.

Conseils : Elle se conserve au réfrigérateur dans un récipient hermétique pendant près d'une semaine. Je prépare une salade de chou pimentée à partir de chou et de carottes râpés, d'oignons verts hachés et de mayonnaise au chipotle. Elle fait une garniture ou un accompagnement de choix à mes paninis.

Mayonnaise aux jalapeños environ 125 ml (½ tasse)

La saveur intense des piments jalapeños marinés apporte une nouvelle dimension aux sandwiches. Cette mayonnaise est facile à préparer et fort goûteuse.

Ingrédients

125 ml	mayonnaise	½ tasse
45 ml	piments jalapeños marinés, égouttés, hachés fin	3 c. à soupe
15 ml	zeste de citron	1 c. à soupe
1 ml	sel	¼ c. à thé
1 ml	poivre noir frais moulu	¼ c. à thé

1. Mélangez dans un cul-de-poule tous les ingrédients. Couvrez et réfrigérez jusqu'à ce que la mayonnaise soit bien fraîche, soit pendant 20 minutes environ.

Conseils : Afin d'accélérer la préparation, remplacez les tomates, les piments jalapeños, l'ail, l'oignon rouge et la coriandre par 125 ml (½ tasse) de votre salsa préférée ou de pico de gallo frais. Je prépare mon guacamole à l'aide d'un molcajete, le pilon et le mortier mexicains, et je le sers dans le mortier.

Mayonnaise au raifort environ 250 ml (1 tasse)

Cette recette ressemble à celle de la crème de raifort (page 182), mais elle est moins onctueuse et sa saveur est quelque peu différente. Les deux conviennent à la garniture de paninis, mais celle-ci est plus simple à préparer.

Ingrédients

250 ml	mayonnaise	1 tasse
25 ml	raifort préparé	2 c. à soupe
10 ml	jus de citron frais	2 c. à thé

Conseils : Elle se conserve au réfrigérateur dans un récipient hermétique pendant près d'une semaine. Épicez davantage la mayonnaise en y ajoutant une pincée ou deux de poivre blanc frais moulu.

1. Mélangez dans un cul-de-poule tous les ingrédients. Couvrez et réfrigérez jusqu'à ce que la mayonnaise soit bien fraîche, soit pendant 20 minutes environ.

Mayonnaise au wasabi environ 125 ml (½ tasse)

J'emploie cette mayonnaise afin de garnir des paninis aux fruits de mer, en particulier ceux à base de thon et de saumon. Elle fait en outre un bon complément aux sushis.

Ingrédients

125 ml	mayonnaise	½ tasse
10 ml	pâte de wasabi préparée	2 c. à thé
5 ml	jus de citron frais	1 c. à thé

Conseils : Elle se conserve au réfrigérateur dans un récipient hermétique pendant près d'une semaine.

1. Mélangez dans un cul-de-poule tous les ingrédients. Couvrez et réfrigérez jusqu'à ce que la mayonnaise soit bien fraîche, soit pendant 20 minutes environ.

On trouve du wasabi sous forme de pâte et de poudre dans les épiceries fines et les épiceries asiatiques, ainsi que dans certains supermarchés. Si vous ne trouvez pas de pâte de wasabi, remplacez-la par 10 ml (2 c. à thé) de poudre de wasabi allongée de 15 à 20 ml (3 ou 4 c. à thé) d'eau. Mélangez-les de manière à former une pâte et laissez-la reposer pendant 5 à 10 minutes afin que se forme le parfum. Si vous avez la chance de trouver du wasabi frais, râpez-le comme vous le feriez du raifort ou du gingembre et ajoutez-en en très petite quantité à la fois. Prenez garde ! C'est un véritable feu.

Aïoli minute environ 250 ml (1 tasse)

L'aïoli est essentiellement une mayonnaise à l'ail. Elle sert d'accompagnement à plusieurs mets, qu'il s'agisse d'à-côté ou de plats principaux. L'aïoli classique est préparé avec des œufs et de l'huile d'olive, mais je vous en livre une version simplifiée.

Ingrédients

5	gousses d'ail	5	
250 ml	mayonnaise	1 tasse	
1 ml	sel	¼ c. à thé	
pincée	poivre blanc frais moulu	pincée	
	jus d'un demi-citron		

Conseils : Il se conserve au réfrigérateur dans un récipient hermétique pendant près d'une semaine. Si vous aimez l'ail, ajoutez-en davantage !

1. Mélangez dans le récipient d'un robot culinaire tous les ingrédients jusqu'à obtention d'une consistance homogène. Couvrez et réfrigérez jusqu'à ce que la mayonnaise soit bien fraîche, soit pendant 20 minutes environ.

Sauce tartare de Fay environ 875 ml à 1 l (3½ à 4 tasses)

Ma mère préparait cette sauce en guise de condiments aux poissons, aux crevettes et aux huîtres frits. Fillette, je l'aimais tant que mon assiette était garnie de plus de sauce que de mets qu'elle était censée accompagner!

Ingrédients

125 ml	oignon blanc ou rouge haché fin	½ tasse
125 ml	cornichons à l'aneth hachés fin	½ tasse
75 ml	mayonnaise	⅓ tasse
2 ml	poivre noir frais moulu	½ c. à thé

1. Mélangez dans un cul-de-poule tous les ingrédients. Couvrez et réfrigérez jusqu'à ce que la sauce soit fraîche, soit pendant 20 minutes environ.

Conseils : Elle se conserve au réfrigérateur dans un récipient hermétique pendant près d'une semaine. Remuez bien avant l'usage. Aux fins de cette recette, il faut vraiment hacher les ingrédients à la main. Un robot culinaire ne donnerait pas les morceaux uniformes qui font le succès de la recette. Si le temps manque, employez de la relish sucrée au lieu des cornichons à l'aneth.

Rémoulade environ 375 ml (1½ tasse)

On sert la rémoulade en accompagnement des fruits de mer frits et de la salade de crevettes.

Ingrédients

2	gousses d'ail émincées	2
250 ml	mayonnaise	1 tasse
50 ml	oignon vert en fines tranches	¼ tasse
25 ml	ketchup	2 c. à soupe
15 ml	persil frais haché	1 c. à soupe
15 ml	moutarde forte	1 c. à soupe
15 ml	jus de citron frais	1 c. à soupe
10 ml	câpres égouttées, hachées	2 c. à thé
5 ml	paprika	1 c. à thé

Conseils : Elle se conserve au réfrigérateur dans un récipient hermétique pendant près d'une semaine. Les saveurs se marieront et s'atténueront alors que la préparation refroidira. Je prépare la rémoulade la veille du jour où je prévois la servir.

1. Mélangez dans un cul-de-poule tous les ingrédients. Couvrez et réfrigérez jusqu'à ce que la sauce soit fraîche, soit pendant 20 minutes environ.

Sauce hollandaise classique environ 175 ml (¾ tasse)

J'ai appris à faire cette sauce alors que j'étudiais à l'école d'art culinaire chez Johnson and Wales. Je n'ai jamais oublié cette technique, car j'avais la trouille lorsqu'il me fallait préparer de la sauce hollandaise devant le chef. Je fais souvent appel à cette recette, car cette sauce peut accompagner nombre de plats.

Ingrédients

2	jaunes d'œufs	2
	jus d'un demi-citron	
125 ml	beurre clarifié	½ tasse
pincée	sel	pincée

Conseils : Si votre sauce hollandaise se délie, remuez-la au fouet avec un glaçon ou en ajoutant 15 ml (1 c. à soupe) d'eau froide à la fois.

1. Déposez les jaunes d'œufs dans le récipient supérieur d'un bain-marie et remuez-les à l'aide d'un fouet. Incorporez lentement le jus de citron. Posez le récipient sur l'eau qui mijote (ne faites pas bouillir). Ajoutez le beurre à raison de 25 ml (2 c. à soupe) à la fois et agitez au fouet jusqu'à obtention d'une consistance homogène. Ajoutez le sel et faites cuire en remuant sans cesse jusqu'à ce que la sauce devienne d'un jaune citron et épaississe, soit pendant 5 à 10 minutes. Servez sans tarder.

Tapenade aux olives environ 500 ml (2 tasses)

J'adore les olives autant que le mélange des saveurs de cette recette! Servez la tapenade dans les sandwiches, en trempette, sur des crostinis grillés ou sur des pâtes.

Ingrédients

1	filet d'anchois égoutté et rincé	1	
1	gousse d'ail	1	
250 ml	olives kalamáta, égouttées, dénoyautées	1 tasse	
250 ml	olives vertes, égouttées, dénoyautées (p. ex., picholines ou sévillanes)	1 tasse	
15 ml	câpres égouttées	1 c. à soupe	
15 ml	persil italien frais haché	1 c. à soupe	
15 ml	thym frais haché	1 c. à soupe	
15 ml	origan frais haché	1 c. à soupe	
1 ml	flocons de piments séchés	¼ c. à thé	
50 ml	huile d'olive	¼ tasse	
25 ml	jus de citron frais	2 c. à soupe	

Conseils : Elle se conserve au réfrigérateur dans un récipient hermétique pendant près de deux semaines. Ramenez la tapenade à température ambiante et remuez-la avant de la servir. La tapenade fait un savoureux hors-d'œuvre avec du chèvre sur des biscuits salés ou du pain croûté. J'adore les olives picholines, car elles ont une saveur douce qui rappelle les noisettes. Les olives sévillanes que l'on trouve pratiquement dans tous les supermarchés sont souvent farcies de piment.

Variante : Plusieurs fines herbes peuvent parfumer cette recette. Choisissez-les selon votre goût et jouez avec celles qui sont proposées et le basilic, les feuilles de laurier, le romarin et la marjolaine.

1. Mélangez dans le récipient d'un robot culinaire tous les ingrédients jusqu'à ce qu'ils soient hachés et que la consistance soit plus ou moins homogène.

Tzatziki environ 500 ml (2 tasses)

Cette sauce accompagne les salades grecques, les paninis ou les gyros.

Ingrédients

250 ml	concombre pelé, épépiné, râpé	1 tasse
2	gousses d'ail émincées	2
2	feuilles de menthe fraîches hachées fin	2
250 ml	yogourt nature	1 tasse
5 ml	vinaigre de vin blanc	1 c. à thé
5 ml	jus de citron frais	1 c. à thé
5 ml	huile d'olive	1 c. à thé
pincée	sel	pincée

Conseils : Il se conserve au réfrigérateur dans un récipient hermétique pendant près de trois jours.

1. Enveloppez la chair du concombre d'un essuie-tout et exprimez le surplus d'eau.

2. Mélangez dans un cul-de-poule tous les ingrédients en remuant bien. Couvrez et réfrigérez jusqu'à ce que la sauce soit bien fraîche, soit pendant 20 minutes environ.

Crème de raifort environ 375 ml (1½ tasse)

Cette sauce emporte l'adhésion de tous mes invités lorsque je la sers avec une première côte fumée, cuite à la perfection, et des paninis au bœuf.

Ingrédients

125 ml	crème aigre	½ tasse
125 ml	mayonnaise	½ tasse
45 ml	crème à fouetter (35 %)	3 c. à soupe
25 ml	raifort préparé	2 c. à soupe
5 ml	sel	1 c. à thé
2 ml	poivre blanc frais moulu	½ c. à thé
2 ml	sucre cristallisé	½ c. à thé
	jus d'un demi-citron	

Conseils : Elle se conserve au réfrigérateur dans un récipient hermétique pendant près d'une semaine. Allégez la recette en employant de la crème aigre ou de la mayonnaise à faible teneur en matières grasses ou encore de la demi-crème (10 % de matières grasses).

1. Mélangez dans un cul-de-poule tous les ingrédients. Couvrez et réfrigérez jusqu'à ce que la crème soit bien fraîche, soit pendant 20 minutes environ.

Sauce barbecue au chipotle environ 125 ml (½ tasse)

Vous pouvez employer cette sauce de plusieurs manières. En voici quelques-unes : appliquez-en une couche épaisse sur des côtes de porc ou de bœuf avant de les poser sur le gril, garnissez-en les sandwiches ou trempez-y les ailes de poulet.

Ingrédients

1 ou 2	piments chipotle en conserve dans de la sauce adobo, hachés	1 ou 2
50 ml	ketchup	¼ tasse
15 ml	cassonade bien tassée	1 c. à soupe
15 ml	sirop de maïs léger (blanc ou doré)	1 c. à soupe
15 ml	vinaigre de cidre	1 c. à soupe
15 ml	sauce Worcestershire	1 c. à soupe

Conseils : Elle se conserve au réfrigérateur dans un récipient hermétique pendant près d'un mois. Agitez bien avant l'usage. La puissance de la sauce sera fonction du nombre de piments chipotle que vous emploierez. Si vous souhaitez une sauce extra-forte, ajoutez de la sauce adobo.

1. Mélangez dans une petite casserole tous les ingrédients. Faites cuire à feu moyen en remuant jusqu'à ce que le sucre ait fondu, soit pendant 4 à 5 minutes environ.

Pesto au basilic environ 250 ml (1 tasse)

Ce pesto est parfumé, frais, plein de vie! Présentez-le sur des paninis ou des pâtes.

Ingrédients

1	gousse d'ail	1
45 ml	noix en morceaux	3 c. à soupe
45 ml	pignons	3 c. à soupe
1 ml	sel	¼ c. à thé
pincée	poivre noir frais moulu	pincée
175 ml	huile d'olive	¾ tasse
125 ml	parmesan râpé	½ tasse
500 ml	feuilles de basilic frais, bien tassées	2 tasses

Conseils : Il se conserve au réfrigérateur dans un récipient hermétique pendant près de cinq jours. L'huile se déliera et remontera à la surface, ce qui contribuera à préserver la couleur du pesto. Remuez-le avant l'usage.

1. Mélangez dans le récipient d'un robot culinaire l'ail, les noix, les pignons, le sel et le poivre. Alors que tourne la lame, versez par l'ouverture du couvercle ou l'orifice d'alimentation l'huile en un filet ininterrompu et pulsez jusqu'à ce que les ingrédients soient bien liés. Ajoutez le parmesan et le basilic; pulsez afin de mélanger le tout en raclant la paroi du récipient de temps en temps.

Pesto aux champignons environ 500 ml (2 tasses)

Ce pesto au goût légèrement terreux est délicieux sur un panini, mais vous pouvez le présenter avec un assortiment de fromages ou encore des pâtes bien fumantes.

Ingrédients

60 ml	huile d'olive	4 c. à soupe
300 g	champignons en fines tranches	10 oz
15 ml	sauce Worcestershire	1 c. à soupe
15 ml	vin blanc sec	1 c. à soupe
1 ml	sel	¼ c. à thé
1 ml	poivre noir frais moulu	¼ c. à thé
1	gousse d'ail	1
50 ml	pignons	¼ tasse
50 ml	parmesan râpé	¼ tasse
125 ml	persil frais, bien tassé	½ tasse

Conseils : Il se conserve au réfrigérateur dans un récipient hermétique pendant près de trois jours. Remuez-le avant l'usage. Préparez des bruschettas avec du pesto aux champignons et des copeaux de parmesan.

1. Faites chauffer 15 ml (1 c. à soupe) d'huile d'olive dans une poêle à frire à feu moyen-vif. Ajoutez les champignons, la sauce Worcestershire, le vin blanc, le sel et le poivre; faites-les sauter jusqu'à ce que les champignons soient fondus, soit pendant 5 minutes environ.

2. Mélangez dans le récipient d'un robot culinaire la préparation aux champignons, l'ail, les pignons et le parmesan. Ajoutez le persil et le reste d'huile d'olive; pulsez jusqu'à ce que les ingrédients soient hachés fin et bien liés.

Sauce aux tomatillos environ 500 à 750 ml (2 ou 3 tasses)

Cette authentique recette mexicaine sert d'accompagnement aux viandes grillées, de trempette aux tortillas ou de tartinade aux paninis et aux quesadillas.

Ingrédients

500 g	tomatillos non décortiqués	1 lb
4	piments jalapeños épépinés, taillés en deux	4
4	gousses d'ail	4
1	oignon en quartiers	1
125 ml	feuilles de coriandre fraîche, peu tassées	½ tasse
10 ml	cumin moulu	2 c. à thé
5 ml	sel kascher	1 c. à thé

Conseils : Elle se conserve au réfrigérateur dans un récipient hermétique pendant près de deux semaines. Ajoutez davantage d'ail si vous préférez une sauce plus aillée. Les piments anaheim sont délicieux grillés; ils peuvent remplacer ici les piments jalapeños.

Faites chauffer le four à 220 °C (425 °F).
Rôtissoire

1. Étalez en un rang les tomatillos, les piments jalapeños, l'ail et l'oignon au fond d'une rôtissoire. Enfournez dans un four chaud jusqu'à ce que la peau des piments et des tomatillos plisse et fasse des cloques, et que l'ail et l'oignon soient tendres, soit pendant 15 à 20 minutes environ. Laissez-les refroidir.

2. Déposez dans le récipient d'un robot culinaire les légumes grillés et leur jus, la coriandre, le cumin et le sel, et pulsez de sorte qu'ils soient mélangés tout en conservant une consistance grossière. (Si la sauce est trop épaisse, ajoutez 15 ml [1 c. à soupe] d'eau à la fois jusqu'à obtention de la consistance voulue.)

Oignons caramélisés environ 250 ml (1 tasse)

J'ai mis au point cette recette voilà plusieurs années, mais je ne l'ai jamais notée. Cela n'était pas nécessaire. J'y fais appel si souvent que je la connais par cœur. Le moment est venu de vous en faire part, et j'espère que vous l'apprécierez autant que moi. Les oignons caramélisés font une garniture de choix à bon nombre de recettes réunies dans ce livre.

Ingrédients

15 ml	huile d'olive	1 c. à soupe
1	oignon rouge en fines tranches	1
15 ml	cassonade bien tassée	1 c. à soupe
1 ml	sel	¼ c. à thé
1 ml	poivre noir frais moulu	¼ c. à thé

Conseils : Ils se conservent au réfrigérateur dans un récipient hermétique pendant près d'une semaine. Réchauffez-les au micro-ondes à la puissance maximale pendant 45 à 60 secondes avant de les servir. Je préfère employer des oignons rouges, mais vous pouvez aussi bien employer des oignons blancs doux.

1. Faites chauffer l'huile d'olive dans une grande poêle à feu moyen-vif. Ajoutez l'oignon et faites-le sauter jusqu'à ce qu'il ait fondu, soit pendant 10 à 15 minutes. Ajoutez la cassonade et faites cuire en remuant doucement jusqu'à ce que l'oignon ait caramélisé, soit pendant 5 minutes environ. Salez et poivrez.

Remerciements

Je ne saurais remercier suffisamment mes amis et ma famille de leur amour et de leur soutien tandis que je travaillais à la rédaction de ce livre. Je suis particulièrement reconnaissante envers mon agent, Lisa Ekus-Saffer, qui a cru en moi et m'a indiqué de nombreuses possibilités insoupçonnées. Lisa continue de m'aider à ouvrir des portes que je croyais verrouillées. Je remercie également Sarah Baurle du Lisa Ekus Group qui a misé sur son instinct et mon talent. Merci en outre à Bob Dees, mon éditeur, pour la confiance qu'il a témoignée à une auteure novice et à Sue Sumeraj, ma préparatrice de textes, qui a fait preuve de patience au cours de l'écriture et de la mise en forme de l'ouvrage.

Plusieurs de mes amis ont consacré du temps à la réalisation de ce projet. Ma chère amie Ellen Harrison et ses parents, John et Catherine Sullivan, ont pris part à de nombreuses séances de remue-méninges devant de nombreux verres de vin en vue de formuler les titres des recettes et d'arrêter les meilleures associations de saveurs. Ellen a éprouvé les recettes, et deux fois plutôt qu'une, elle a fait les courses et m'a aidée à écarter les fabricants de paninis qui n'étaient pas à la hauteur.

Mes amies du Texas Beef Council, Lorill Sleeper, Jill Hodgkins, Michele Blank, Linda Bebee, Jennifer Matison et Pam Wortham, m'ont fourni plusieurs idées de recettes et m'ont grandement aidée.

Ma chère amie Meg Plotsky a passé des centaines de coups de fil afin de me rendre service. Mon amie et partenaire de conditionnement physique Marcia Smith m'a maintes fois conseillée au chapitre des choix santé. Les antécédents italiens de Larry Russo m'ont apporté l'inspiration. Tina et Jordan Manson m'ont envoyé d'innombrables courriels me proposant des associations de saveurs qui recevraient l'imprimatur des enfants. Chaque fois que j'ai participé à une émission-débat, ma chère amie et belle-sœur Jody Tacker réglait le téléviseur du cabinet de médecins où elle travaille sur la chaîne en question. Je lui dois d'avoir ainsi posé les fondements d'un fan-club.

Je remercie en outre Bobby Collins, mon ex-mari et ami, qui a cru en moi et m'a accordé son appui, et mon père, John Tacker, qui a contribué à faire de moi la femme que je suis aujourd'hui et m'a incitée à agir au meilleur de mes possibilités. Maman nous a beaucoup manqué au fil de cet exercice, mais nous avons évoqué nos souvenirs des fabuleux repas qu'elle préparait et avons trouvé l'inspiration dans ses recettes.

Je remercie aussi ma fille Kennedy qui m'a fait part de ses opinions, lesquelles étaient pour le moins sincères ! Merci d'avoir goûté tant et tant de recettes de paninis et de m'avoir gentiment signifié que des macaronis au fromage feraient l'affaire au dîner et que je n'étais pas obligée de te confectionner un panini supplémentaire.

Je remercie ma sœur et mon frère, Jill et Bud, qui ont partagé bon nombre de mes repas et les ont agrémentés de rires et d'amour. Chacune de nos ripailles fut une expérience enrichissante. Je remercie également Roger et Carol Johnson qui m'ont appris à ne pas méconnaître la valeur des risques et de la confiance.

Pour terminer, je souhaite remercier Tim Johnson, un homme merveilleux à qui je dois beaucoup. Il en est arrivé à m'aimer, me comprendre et m'appuyer d'une manière que je n'aurais jamais soupçonnée. Il était là dès les premiers jets de cet ouvrage pour me dire que j'étais capable d'y arriver et que j'y parviendrais. Il était à mes côtés, à goûter les recettes, et à garder le cap lorsque les choses s'embrouillaient. Il a dégusté de bons paninis et en a mangé de mauvais, sans se laisser décourager, à mon grand soulagement ! Je suis également heureuse que tes beaux enfants, Derek, Emmy et Griffin, aient partagé cette expérience hors du commun.

Nous tenons également à remercier les fournisseurs suivants pour nous avoir si gracieusement prêté des accessoires pour la prise de photo : *Stokes, Arthur Quentin, Chez Farfelu, 3 femmes et 1 coussin et Zone.*

Index

189

faim...